PROPRIÉTÉ PRIVÉE,
PROPRIÉTÉ SOCIALE,
PROPRIÉTÉ DE SOI

DES MÊMES AUTEURS

ROBERT CASTEL

Le Psychanalysme, Paris, Maspero, 1973 ; UGE, « 10-18 », 1976 ; Flammarion, 1981.

L'Ordre psychiatrique, Paris, Éditions de Minuit, 1976.

La Société psychiatrique avancée : le modèle américain (en collaboration avec F. Castel et A. Lovell), Paris, Grasset, 1979.

La Gestion des risques, Paris, Éditions de Minuit, 1981.

Les Métamorphoses de la question sociale. Une chronique du salariat, Paris, Fayard, 1995 ; Gallimard, « Folio », 1999.

CLAUDINE HAROCHE

Histoire du visage. Exprimer et taire ses émotions, XVIe-début XIXe siècle (en collaboration avec J.-J. Courtine), Paris, Rivages, 1988 ; rééd. Payot, 1994.

Le For intérieur (dir.), Paris, PUF, 1995.

La Considération (dir.) (avec la collaboration de J.-C. Vatin), Paris, Desclée de Brouwer, 1998.

Communications (dir.), Paris, Le Seuil, n° 69, « La déférence », 2000.

Robert Castel
Claudine Haroche

PROPRIÉTÉ PRIVÉE, PROPRIÉTÉ SOCIALE, PROPRIÉTÉ DE SOI

*Entretiens sur la construction
de l'individu moderne*

Fayard

« Par propriété il faut entendre cette propriété que les hommes ont sur leurs personnes autant que celle qu'ils ont sur leurs biens. »

John LOCKE,
Second Traité du gouvernement.

« Comme les enfants ne peuvent comprendre ce que c'est que l'injustice tant qu'ils ne savent pas ce que c'est que la propriété et comment on devient propriétaire, le moyen le plus sûr de garantir l'honnêteté des enfants c'est de leur donner de bonne heure pour fondement la libéralité, l'empressement à partager avec les autres ce qu'ils possèdent et ce qu'ils aiment. »

John LOCKE,
Pensées sur l'éducation.

I

L'individu propriétaire

CLAUDINE HAROCHE. – Vous avez récemment écrit qu'on pouvait questionner le libéralisme sous différents angles, différents registres, politiques et économiques surtout. En ce qui vous concerne, vous interrogez la conception qu'il se fait de l'individu en vous situant dans une perspective critique[1]. La conception de l'individu dans le libéralisme est naïve, dites-vous, parce qu'anhistorique. J'aurais pour ma part davantage tendance à dire qu'elle est naïve et anhistorique dans la

Tous nos remerciements à Emmanuel Taïeb pour la qualité de la retranscription des entretiens ainsi que pour la préparation du manuscrit.
1. Robert Castel, « Libéralisme et individualisme », in *Questions au libéralisme*, Faculté universitaire de Saint-Louis, Bruxelles, 1999.

mesure où toute dimension psychologique et anthropologique en a été écartée. L'approche que Louis Dumont a suivie dans *Homo aequalis*, liant d'une part « les idées et les valeurs [qui] constituent un aspect important de la vie sociale, de l'autre l'anthropologie sociale [qui] est essentiellement comparative même lorsqu'elle ne l'est pas explicitement », me semble de ce point de vue profondément éclairante : posant que « l'idée générale d'une étude comparative de l'idéologie moderne [était] issue de [son] travail antérieur d'anthropologie sociale », Dumont soulignait qu'il y voyait la « suite naturelle ». Il remarquait toutefois que, « du point de vue académique, la distance est grande de l'anthropologie à une enquête qui ressortit à première vue à ce qu'on appelle communément l'histoire des idées[1] ».

Rappelant que le libéralisme repose sur une innovation sans précédent, « la séparation radicale des aspects économiques du tissu social et leur construction en un domaine autonome », Dumont écrit alors qu'il va en

---

1. Louis Dumont, *Homo aequalis*, Paris, Gallimard, 1977, p. 11.

« proposer une vue un peu plus large en même temps qu'[il] construit sur une vieille tradition sociologique ». En effet, poursuit-il, « le contraste holisme/individualisme, tel qu'il s'est développé dans mon étude sans imitation directe ou consciente, est dans le droit fil de la distinction de Maine entre statut et contrat, et de celle de Tönnies entre *Gemeinschaft* et *Gesellschaft*[1] ». N'est-ce pas ce que vous avez fait, d'une certaine manière, dans vos travaux récents, en particulier dans *Les Métamorphoses de la question sociale*, et que nous tenterons de faire ici même, dans cette réflexion sur la construction de l'individu moderne en entreprenant de lier les questions de la propriété privée, de la propriété sociale et de la propriété de soi ? Ne pensez-vous pas que le cadre profond d'analyse mériterait ainsi d'être explicité, qu'il est intéressant de se placer en amont, de résister à « la tendance moderne à une compartimentation et une spécialisation croissantes, alors que l'inspiration anthropologique consiste tout au contraire à relier, à réunir[2] » ?

_____

1. *Ibid.*, p. 15.
2. *Ibid.*, p. 33.

11

Vous parlez de Locke comme de l'un des fondateurs de l'individualisme. Ne croyez-vous pas qu'il est intéressant de se demander à partir de quels auteurs, de quelles interrogations Locke a développé sa pensée ?

ROBERT CASTEL. – Je suis tout à fait d'accord avec cette exigence, que porte également Louis Dumont, de problématiser les questions contemporaines sur le long terme, ce qui est aussi une manière de faire éclater les compartimentages disciplinaires pour les traiter. En ce qui me concerne c'est ce que j'ai tenté pour la configuration actuelle du travail, puisque j'ai cru devoir remonter jusqu'au XIVe siècle pour saisir le moment où elle se noue. C'est aussi ce que je voudrais essayer de faire pour la conception moderne de l'individu, et c'est cette intention qui a inspiré, entre autres, cette esquisse de critique du libéralisme, ou du néolibéralisme, que vous évoquez. J'ai dit effectivement qu'elle me paraissait naïve en ce sens qu'elle est substantialiste. S'agissant de l'individu, qu'est-ce que l'on entend en effet

12

constamment dans le discours libéral ou néo-libéral ? Qu'il y a des individus qui ne demandent qu'à s'exprimer comme tels, à développer leurs capacités d'initiative bridées par des contraintes de type étatique, bureaucratique. Il suffirait donc de libérer l'individu de ces contraintes pour qu'il donne sa pleine mesure et qu'il devienne ainsi plus productif sur le plan économique, mais aussi qu'il s'épanouisse sur le plan personnel. C'est concevoir l'individu comme s'il était donné une fois pour toutes et ne dépendait pas de conditions historiques et sociales d'existence. Par rapport à – et contre – cette position de la question de l'individu, on doit faire l'hypothèse qu'un individu n'existe pas comme une substance et que pour exister comme individu il faut avoir des *supports,* et donc s'interroger sur ce qu'il y a « derrière » l'individu pour lui permettre d'exister comme tel.

On peut expliciter cette hypothèse dans deux directions. D'une part, ces supports peuvent être de plusieurs types ; d'autre part, et de manière complémentaire, ces supports qui servent de socle à l'individu ont varié historiquement. On en arriverait ainsi à la seconde partie de votre question sur Locke, parce que Locke est un des premiers, si ce n'est le premier, à développer une théorie de l'individu moderne à partir de la prise de conscience de la nécessité pour cet individu de s'appuyer sur le socle de la propriété privée pour exister. C'est la théorie lockienne de l'appropriation. L'homme selon Locke est quelqu'un qui s'approprie, qui s'approprie et transforme la nature par son travail, qui devient ainsi propriétaire et qui, par l'intermédiaire de cette appropriation, devient capable d'exister pour lui-même comme individu, c'est-à-dire de ne dépendre de personne. Locke est tout à fait explicite : « L'homme est maître de lui-même, et propriétaire de sa propre personne et des actions et du travail de cette même personne [1]. » Il cesse ainsi d'exister à travers un rapport de dépendance, il n'est plus l'« homme » de quelqu'un comme on le disait dans le droit féodal.

C.H. – Ce sont le vassal et le seigneur dans le modèle de la vassalité. Exister comme indi-

---

1. John Locke, *Second Traité du gouvernement* (1689), Paris, PUF, 1994, § 44.

vidu suppose la propriété de soi-même, c'est-à-dire la libre disposition de soi, la non-dépendance vis-à-vis de l'autre par le biais du travail et de la propriété : c'est la condition de propriétaire qui assure alors la non-dépendance.

R.C. – Oui, d'un point de vue historique la propriété de soi se pense d'abord chez Locke par opposition au modèle de la dépendance et, plus généralement, au modèle que Dumont appellerait la société « holiste ». À ce modèle Locke oppose celui de l'indépendance, que l'on pourrait traduire philosophiquement dans le langage de Kant comme « l'autonomie de la volonté ». C'est un individu qui peut se déterminer lui-même à partir du moment où il est capable de s'approprier la nature par son travail. Ainsi, il est propriétaire de lui-même parce qu'il a des biens qui le mettent hors de ces **situat**ions de dépendance des gens qui n'**ont rien**, et qui donc ne peuvent pas être des individus par eux-mêmes. « Par propriété, dit Locke, il faut entendre, ici comme ailleurs, cette propriété que les hommes ont sur leurs personnes autant que celle qu'ils ont sur leurs biens [1]. » Propriété de soi et propriété de biens sont indissociables – ou, pour le dire autrement, c'est par la propriété privée, en devenant propriétaire, que l'homme peut accéder à la propriété de soi.

C.H. – Locke a défini l'individu comme étant un individu propriétaire, le démarquant ainsi du modèle féodal de la dépendance. La propriété de soi supposerait la propriété de biens. Mais il me semble que, même chez Locke, le lien n'est pas aussi clairement établi. C'est un rapport complexe qu'il est intéressant de creuser de façon peut-être moins strictement philosophique, sans doute plus anthropologique. Sur ce point encore la lecture de Dumont est profondément éclairante. « Le mot "propriété" a le plus souvent dans Locke une signification très large : "la vie, la liberté et les biens" (*estate*). Ainsi, les hommes entrent en société pour "la préservation mutuelle de leurs vies, libertés et biens, ce que j'appelle d'un nom général pro-

---

1. *Ibid.*, § 173.

16

priété[1]". » Dumont se réfère alors aux développements de Peter Laslett qui souligne que l'usage du terme « propriété », apparemment répandu au XVIIᵉ siècle, est par ailleurs « important et fonctionnel chez Locke lui-même ». Il relève le caractère étendu du terme, l'existence d'une continuité entre le monde, l'individu, son corps, le travail, tous ces éléments constituant une propriété de l'être humain qui lui permet d'exister comme individu : « Fonder la propriété des biens sur le travail, c'est précisément dériver un titre à des choses extérieures de ce qui le plus évidemment et réellement appartient à l'individu, son corps et son effort ». En d'autres termes, souligne Dumont, « c'est prendre avantage du sens le plus large de la "propriété" pour en établir le sens restreint (propriété de biens), ce qui de nouveau équivaut à dériver une relation juridique entre un homme et des choses, non pas des nécessités de l'ordre social, mais d'une propriété intrinsèque de l'homme comme individu[2] ».

---

1. II, § 123.
2. Louis Dumont, *op. cit.*, pp. 73-74.

La condition de propriétaire, le sens de ce qu'il convient d'entendre par « propriété » n'est pas toujours précis chez Locke : s'agit-il d'une capacité propre à l'homme, d'un désir d'appropriation, d'un amour de la domination ? S'agit-il du pouvoir et de la liberté que la propriété confère ? C'est là je pense que la lecture concomitante des *Deux Traités* ainsi que de ses *Pensées sur l'éducation* est intéressante. Dans ses *Pensées sur l'éducation*, il pose en effet que « l'amour de la domination se manifeste [...] chez les enfants par leur désir d'avoir des choses à eux. Ils veulent être déjà propriétaires pour jouir du pouvoir que la propriété semble leur procurer et pour avoir le droit de disposer des choses qui leur appartiennent comme bon leur semble ». Locke poursuit, soulignant alors la nécessité d'éduquer en matière de moralité les enfants dès leur jeune âge, pour fonder une société plus juste. « Celui qui ne comprendrait pas qu'il est nécessaire d'extirper dès le début deux sentiments qui sont la source de presque toutes les injustices et de presque toutes les luttes qui troublent la vie humaine, et de développer les sentiments contraires, laisserait passer le moment opportun qu'il faut saisir pour établir les fondements de la bonté et de la vertu[1]. »

Dumont insiste très justement sur la nécessité de ne pas isoler les *Deux Traités* de la philosophie de Locke en général, ajoutant qu'« il est impossible de laisser hors de considération les relations avec la moralité et la religion, même si l'étude est ici très délicate et menace de faire sombrer l'entreprise. Le point est d'autant plus important que la relation avec la moralité est elle aussi impliquée dans la naissance de l'économique[2] ». En formulant une remarque d'une telle ampleur, Dumont va, me semble-t-il, à l'essentiel.

R.C. – J'accorde volontiers que chez Locke la notion de propriété est complexe puisqu'elle recouvre des contenus hétérogènes, propriété de biens matériels aussi bien que propriété de la personne, de l'indi-

---

1. John Locke, *Pensées sur l'éducation*, Paris, Vrin, 1992, pp. 137-138.
2. Louis Dumont, *op. cit.*, p. 68.

vidu lui-même. Mais ce qui me paraît être l'intuition fondamentale de Locke c'est que ces contenus hétérogènes sont en même temps indissociables : on ne peut pas être propriétaire de sa personne si l'on n'est pas propriétaire de biens. Au-delà des méandres de sa pensée, je prends ici Locke comme le témoin du moment historique qu'il occupe aux commencements de la modernité, prenant conscience – et étant sans doute le premier à l'exprimer claire-ment – que, pour pouvoir exister comme un individu indépendant, il faut désormais être propriétaire.

C.H. – Ne pensez-vous pas que, sans avoir eu le temps de mener à terme sa réflexion, Michel Foucault avait d'une certaine manière entrevu l'intérêt de ce type d'interrogations ? Il avait en effet entrepris d'élucider dans une tradition certes différente, celle des « institu-tions du prince », ces traités destinés à la for-mation des rois, un concept proche, celui de gouvernementalité. Foucault avait souligné l'importance que revêtait le terme de gouvernement de soi au XVIIᵉ siècle, sous le terme de gouvernementalité [1].

R.C. – Oui, mais auparavant Michel Foucault dans *Surveiller et punir* avait abordé la question de l'individu dans le cadre des sociétés « holistes ». Ce qu'il en dit s'inscrit dans le cadre de ce que je suggère ici en confirmant *a contrario* le fait que seules les sociétés modernes pourront être des sociétés d'individus. Il souligne en effet que dans les formations sociales antérieures c'est la fonction qui individualise son détenteur, et que seuls peuvent être identifiés comme des individus des personnages classés au sommet de la hiérarchie sociale à travers des cérémonies et des rituels qui mettent en scène cette posi-

---

[1] C'est d'une certaine façon l'existence d'une continuité analogue par bien des aspects que l'on discerne dans le terme de propriété, celle qui lie la propriété de soi à la propriété sociale : remarquons qu'elle trouve précisément l'une de ses origines et de ses conditions de développement dans l'éducation, l'enfant témoignant dès son jeune âge d'un désir d'appropriation, comme l'a souligné Michel Foucault dans « La gouvernementalité » (*Actes*, nº 54, été 1986).

tion d'éminence : « Dans les sociétés dont le régime féodal n'est qu'un exemple, on peut dire que l'individualisation est maximale du côté où s'exerce la souveraineté et dans les régions supérieures du pouvoir. Plus on est détenteur de puissance et de privilèges, plus on est marqué comme individu par des rituels, des discours, des représentations[1]. » Ainsi, avant la modernité, l'individu ne peut être qu'« exceptionnel » au sens fort du mot : il se détache comme une exception sur fond de régulations collectives. Et ce que l'on va essayer de comprendre ici, c'est comment il va pouvoir devenir en quelque sorte « banal ».

C.H. – L'une des questions que je me posais est celle de savoir si Locke s'est explicitement référé à des écrits antérieurs, s'il s'en est éventuellement démarqué, en posant cet individu propriétaire.

R.C. – Il est toujours délicat de se mettre à esquisser des généalogies. La question de

---

1. Michel Foucault, *Surveiller et punir*, Paris, Gallimard, 1975, p. 194.

l'origine est inévitable et, en même temps, elle risque de renvoyer à l'infini. Quand est-ce que « ça commence » vraiment, dans l'histoire, la notion d'individu ?

C.H. – C'est pourquoi je pose cette question, mais sans trop d'insistance.

R.C. – Je vais pourtant essayer d'y répondre, mais très vite et au risque d'être quelque peu caricatural. D'une part, dans une perspective d'histoire des idées, on pourrait rechercher quels auteurs ont influencé Locke, comme Pufendorf, ou de quels auteurs il s'est démarqué, comme Filmer[1]. Mais en deçà ou au-delà de ces références textuelles, on pourrait tenter une pré-histoire ou une pré-généalogie de l'individu moderne dans une perspective plus anthropologique. Ce serait une entreprise de longue haleine, mais les travaux de Louis Dumont et *Le Désenchantement du monde* de Marcel Gauchet apportent des éléments précieux, au moins pour baliser le pro-

---

1. Voir Lucien Jaume, *La Liberté et la loi. Les origines philosophiques du libéralisme*, Paris, Fayard, 2000.

23

blème, et ils me paraissent complémentaires sur ce point[1]. Cette généalogie de l'individu dans la très longue durée peut se chercher à travers une interprétation socio-anthropologique de la pensée religieuse, car l'individu comme valeur est né d'abord dans la représentation religieuse du monde, comme individu « hors du monde ». Louis Dumont pose en effet qu'il a une première forme d'existence dans la pensée indienne et surtout dans les grandes religions monothéistes, particulièrement dans le christianisme. L'individu y est identifié comme individu dans son rapport à Dieu. Le chrétien, fils de Dieu, a la responsabilité de faire son salut, il a une âme, c'est un individu au sens spirituel du mot, il entretient une relation personnelle avec Dieu. Donc il existe comme individu, et l'Église des croyants est une communauté d'individus. Mais le royaume de Dieu n'est pas de ce monde, et ces individus sont hors du monde.

_____

1. Marcel Gauchet, *Le Désenchantement du monde*, Paris, Gallimard, 1983 ; Louis Dumont, en particulier *Homo hierarchicus*, Paris, Gallimard, 1966, et *Essais sur l'individualisme*, Paris, Seuil, 1983.

La question qui se pose alors est celle du « rapatriement » de cet individu. Comment passe-t-on de l'individu « hors du monde » à l'individu dans le monde ? On peut ici croiser les analyses de Dumont avec celles de Gauchet sur le « désenchantement du monde ». Au XVIIe siècle – et cela devient encore plus explicite au XVIIIe – c'est, pour parler comme Louis Dumont, le moment de la sortie de la société « holiste » : les statuts traditionnels se desserrent et l'individu cesse d'être pris dans une relation étroite de dépendances et d'inter-dépendances produites par la coutume et les liens de la filiation[1]. S'extrayant de cette gangue holistique l'individu peut commencer à devenir un individu « dans le monde », et donc exister à partir de ses propres activités d'appropriation. On en revient ici à Locke, d'une manière bien trop cavalière d'ailleurs, car il faudrait aussi parler du rôle joué par l'État dans ce processus, de l'importance de

---

1. Dans le même sens, voir Gérard Stourzh, « L'État moderne : l'égalité des droits, l'égalisation des statuts et la percée de l'État libéral moderne », in Janet Coleman, *L'Individu dans la théorie politique et dans la pratique*, Paris, PUF, 1996.

la réflexion politique de Hobbes, etc.[1]. Mais Locke est sans doute le premier à faire la théorie des activités de l'individu dans le monde à travers le processus d'appropriation et de transformation de la nature par le travail. De sorte que c'est en même temps la découverte de la centralité du travail. Découverte : certes, on sait bien depuis toujours que les hommes travaillent, mais c'est Locke qui donne au travail sa signification anthropologique générale et sa centralité dans la société : désormais l'homme peut se construire à travers son rapport aux choses, en s'appropriant puis en transformant la nature, au lieu d'être défini à partir des rapports de dépendance et d'interdépendance qu'il entretenait dans une société « holiste ». Il y a ainsi une concomitance profonde entre le processus de sortie de

---

1. Voir C.B. Macpherson, *La Théorie politique de l'individualisme possessif de Hobbes à Locke* (1962), Paris, Gallimard, 1971. On pourrait dire que le *Léviathan* de Hobbes représente une étape essentielle de la construction de l'individu politique aboutissant à la notion de citoyen, tandis que Locke, complété par Adam Smith, inaugure la promotion de l'individu moderne dans le registre socio-économique.

la société holiste et le processus de sortie du religieux entendu avec Marcel Gauchet comme le dégagement progressif de l'individu de son rapport à la transcendance. C'est aussi du XVIIe siècle que Gauchet date le moment où l'individu, cessant d'être hétéro-déterminé par l'altérité religieuse, commence à « graviter entièrement autour de lui-même ».

C.H. – Pour l'essentiel, comme le dit Dumont, « avec la propriété, quelque chose qui est exclusivement de l'individu est placé au centre d'un domaine qui était gouverné jusque-là par des considérations holistes hié-rarchiques [1] ». L'individu va ainsi se sous-traire à la subordination – ou du moins à un type de subordination explicite –, gagner une identité, un statut, par le travail. Ce sont des conclusions analogues auxquelles, par une approche transdisciplinaire, Georg Simmel est parvenu dans *La Philosophie de l'argent*, développant des analyses qui croisent les

----

1. Louis Dumont, *Essais sur l'individualisme, op. cit.*, p. 75.

nôtres. On pourrait peut-être transposer à la fonction de la propriété sociale pour l'individu moderne celle que Simmel a attribué à l'argent : il s'était en effet attaché à montrer que la finalité de l'argent « ne réside pas en lui, mais dans sa capacité à se convertir dans d'autres valeurs [1] ».

R.C. – Nous aurons à revenir sur l'élargissement de la conception de la propriété, et en particulier sur la construction de la propriété sociale dans sa différence avec la propriété privée. Mais chez Locke déjà celle-ci ne se réduit pas à la possession de biens, elle est le résultat d'un processus d'appropriation, le fruit d'un travail. En ce sens on peut dire que Locke est à l'origine d'une conception prométhéenne du travail que, entre autres, Marx évidemment développera et auquel il donnera une dimension collective, alors que chez Locke l'appropriation demeure un acte individuel. Mais il y a déjà chez lui l'idée que c'est par le travail que l'homme sort à la fois

---

1. Georg Simmel, *Philosophie de l'argent*, Paris, PUF, 1987, préface, p. 16.

de lui-même, conquiert son indépendance et donc devient « maître et possesseur de la nature », comme Descartes l'avait déjà vu, mais en s'en tenant au plan philosophique.

C.H. – Maître de la nature et maître de lui-même.

R.C. – Oui, il est désormais propriétaire de lui-même, il a la propriété de soi, et en même temps et indissociablement il est engagé dans un processus de domination de la nature.

C.H. – Vous dites qu'on ne peut pas penser l'individu sans ses supports, vous utilisez le mot de « supports » ou de « soutiens ». Est-ce une façon de rappeler que l'individu ne saurait exister, se constituer et se développer que dans le rapport à l'autre, aux autres, ou plutôt dans le rapport aux biens ? Vous référez-vous implicitement à d'autres approches : à la psychanalyse, à la sociologie, interactionniste en particulier ? Diriez-vous que vous vous inscrivez dans une approche de sociologie classique – celle que souligne Louis Dumont –, tout en vous efforçant de l'élargir à l'anthropologie, reconnaissant avec Dumont qu'il est difficile, voire peu intéressant de se contraindre à développer une analyse dans un cadre trop disciplinaire, académique, pour ce type de réflexions ?

R.C. – Le terme de « support » peut avoir plusieurs acceptions, mais je le prends ici au sens de condition objective de possibilité. Parler de support en ce sens, c'est parler de « ressources », ou de « capitaux » au sens de Bourdieu ; c'est la capacité de disposer de réserves qui peuvent être de type relationnel, culturel, économique, etc., et qui sont les assises sur lesquelles peut s'appuyer la possibilité de développer des stratégies individuelles. Évidemment il y aurait la possibilité d'analyser le fonctionnement de l'individu sur un plan psychologique ou intersubjectif : c'est tout à fait légitime, et c'est d'ailleurs fait par les psychologues, psychanalystes, psycho-sociologues, etc. Mais j'essaie de me placer sur un autre plan, antérieur, de la réflexion, car pour entrer en rapport, en relation, en interrelation avec les autres, l'individu doit avoir ces conditions sociales pour être déjà un individu, disposer de ressources pour le faire. C'est là un raisonnement de type sociologique qui met entre parenthèses ces relations d'intersubjectivité pour s'interroger sur leurs conditions de possibilité. C'est la raison pour laquelle je ne parle pas non plus de personnes, parce que cela introduirait cette dimension subjective, ou « personnalisée » que je veux éviter. Je ne parle d'ailleurs pas non plus d'acteurs, ni de sujets. Je ne nie évidemment pas que les individus puissent être des personnes, ou des acteurs, ou des sujets, mais le niveau d'analyse auquel je me place est plus objectif, pour ne pas dire plus objectiviste. Ce qui m'intéresse, c'est la question des conditions de possibilité nécessaires pour être un individu, ou une personne, ou un acteur, ou un sujet. Ainsi comme on vient de le dire, au début de la modernité, lorsqu'il n'est plus encastré dans des rapports traditionnels de dépendance, l'individu doit pouvoir s'appuyer sur la propriété afin d'exister pour lui-même : cela n'a rien à voir – en tout cas la question n'est pas posée sur ce plan – avec le niveau des interrelations entre les individus, bien qu'évidemment le propriétaire puisse développer, et développe, des relations intersubjectives. Par ailleurs on peut parfaitement s'intéresser, comme l'a par exemple fait récemment Alain Touraine, au devenir-sujet de l'individu[1]. Ce n'est néanmoins pas cela qui nous concerne ici, mais plutôt les conditions préalables pour entrer dans un processus de devenir-sujet. On peut aussi concevoir avec Alain Renaut[2] que le sujet comporte des dimensions que n'a pas l'individu en tant que tel, une capacité d'autonomie qui n'est pas seulement l'indépendance, le sens de l'autre, l'accès à l'altérité, à la dimension éthique... Mais j'insiste pour ma part sur le fait que pour entrer dans cette aventure du sujet, il faut d'abord être un individu doté des supports de l'indépendance.

C.H. – Sur ce point Simmel s'était attaché à montrer, dans la longue durée, que l'argent – de même que le travail, de façon plus incidente – constituait le support (le terme

---

1. Cf. Alain Touraine, Farad Khosrokhavar, *La Recherche de soi. Dialogues sur le sujet,* Paris, Fayard, 2000.

2. Alain Renaut, *L'Ère de l'individu*, Paris, Gallimard, 1989.

« support » désignant dans ses travaux des individus tout autant que des biens objectifs) des relations impersonnelles entre les individus[1].

R.C. – Mais pour ma part j'insiste surtout sur le fait que, dans cette longue durée, ces supports sont susceptibles de variations. J'ai parlé jusqu'ici de la propriété privée parce que ce type de propriété me paraît avoir été le premier support pour assurer une telle indépendance, mais la possession de droits peut aussi assurer l'indépendance. Peut-être pourrait-on dire qu'il existe une gamme de « biens objectifs » qui assurent à l'individu des réserves pour ne pas tomber dans la dépendance. Au contraire des individus tombent dans la sujétion lorsqu'ils n'ont pas eux-mêmes de quoi conduire leur vie en mobilisant des ressources qui puissent assurer leur indépendance. Par exemple avant qu'il y ait les systèmes de protection sociale, avant qu'il y ait ce qu'on appelle l'État social, la Sécurité sociale, pour être positivement individu, il fal-

---

1. Georg Simmel, *op. cit.*, en particulier chap. IV, « La liberté individuelle ».

lait disposer d'un certain nombre de biens matériels pour ne pas se retrouver démuni lorsqu'on ne pouvait plus travailler, dans la vieillesse par exemple. Quel était le destin de celui qui n'avait pas de biens, qui n'était pas propriétaire ? De deux choses l'une : ou bien il pouvait être pris en charge par ses enfants, et il entrait dans leur dépendance, ce qu'il payait aussi d'une certaine manière ; ou bien il tombait dans la dépendance de l'assistance, et concrètement cela voulait souvent dire qu'il allait croupir et mourir misérablement à l'hospice ou à l'asile.

Sans faire de misérabilisme on peut dire que ce fut très souvent le lot de ceux qui n'avaient que leur travail pour vivre, ou pour survivre, et que l'on commence à appeler à la fin du xviiie siècle la « classe non propriétaire ». En revanche le propriétaire, le rentier étaient sauvés de ces situations de dépendance – qu'ils travaillent ou ne travaillent pas d'ailleurs. La possession d'un patrimoine, en l'occurrence la propriété privée, était bien alors le support de la capacité leur permettant d'exister pour eux-mêmes, et non comme des dépendants.

C.H. – Vous posez que ces supports ne sont pas donnés une fois pour toutes. Et comme l'individu a été construit historiquement, ces supports ont varié historiquement. Le premier support d'individualité, quand l'individu émerge aux XVIIᵉ et XVIIIᵉ siècles, c'est dites-vous la propriété. L'individu est celui qui est propriétaire, et le non-propriétaire n'est pas un individu. À ce moment-là vous parlez de consistance, ce qui me paraît intéressant : la consistance viendrait donc ici de la propriété. Il faudra d'ailleurs revenir sur les différents supports d'individualité. J'aurais quant à moi tendance à penser que « consistance », un peu comme « contenance », fait partie de ces notions peu approfondies qui renvoient à un ensemble de termes désignant la maîtrise de soi, le gouvernement de soi, la propriété de soi[1]. Ce sont des termes importants aux XVIIᵉ et XVIIIᵉ siècles, qui ne renvoient pas seulement à des questions de forme, mais qui

_____

1. Sur ce type de questions, voir Claudine Haroche, « Se gouverner, gouverner les autres. Éléments d'une anthropologie politique des mœurs et des manières (XVIᵉ-XVIIᵉ siècle) », *Le Gouvernement du corps, Communications*, nº 56, 1993.

touchent à la substance tant des comportements, des attitudes de l'individu, qu'à des
dispositions intérieures, à ce que l'on désigne
par économie psychique, for intérieur,
conscience...

R.C. – On peut effectivement parler de
consistance, mais cela confirme à mes yeux
qu'il faut qu'il y ait une assise, ou une
matrice, ou un socle, sur lequel l'individu
puisse s'appuyer et qui lui donne cette consistance. Pour le dire encore autrement – car
toutes ces métaphores sont approximatives –,
il lui faut disposer d'une certaine surface,
occuper un certain espace dans la société pour
développer des capacités d'être un individu.
On peut prendre l'image contraire, qui a d'ailleurs existé concrètement à des dizaines de
milliers d'exemplaires, celle du vagabond. Le
vagabond n'a pas de place dans l'espace
social. Il est complètement coupé des rapports
de travail comme de toute inscription dans
une communauté. Il est l'être de nulle part, ou
« demeurant partout », ce qui veut dire la
même chose, et en ce sens il est surexposé
parce qu'il n'a pas d'assises. Il est certes un

individu, mais il l'est négativement, il exemplifie le fait de n'être qu'un individu sans supports, sans protections, sans ressources. Non seulement il n'est pas l'« homme » de quelqu'un qui pourrait le protéger, mais il n'a même pas une inscription territoriale minimale dans une paroisse, une petite communauté qui permet de bénéficier généralement d'un minimum de secours, de reconnaissance sociale, ou du moins de tolérance. Donc c'est la contre-image du propriétaire, et en même temps c'est l'individu sans aucune consistance dans une société où, pour exister, il fallait avoir une place assignée dans des réseaux de dépendance. Ce qui manque au vagabond c'est moins la propriété que la territorialisation, l'encastrement dans cette société hiérarchique d'ordres, d'états, de statuts. On comprend ainsi que, lorsque ces assignations se desserrent, la propriété privée devienne l'assise privilégiée qui permet à l'individu de ne pas « flotter » comme flottait le vagabond. La propriété, c'est alors – Locke représente le moment de cette prise de conscience, et en cela il est résolument moderne – ce qui est nécessaire pour « lester » un individu qui n'est plus inscrit dans ces statuts assignés. C'est alors la propriété qui devient l'assise privilégiée pour donner une place et en même temps une consistance à l'individu. On peut ajouter que c'est cette conception de l'individu propriétaire qui fonde directement pour Locke le régime politique moderne, la République des citoyens : « La fin essentielle que poursuivent les hommes qui s'unissent pour former une République et se soumettent à un gouvernement c'est la préservation de leur propriété[1]. »

Sans doute faudrait-il ici essayer de préciser les choses en se demandant quelles sont la nature et la « quantité » de propriété nécessaires pour assumer cette fonction de socle de l'individu. Locke s'en tient à un niveau très général puisqu'il parle d'un processus d'appropriation et de la nécessité de posséder « des biens » pour pouvoir être propriétaire de sa personne. Il ne s'agit pas obligatoirement de la grande propriété, mais du minimum de ressources nécessaires pour pouvoir assurer

---

1. John Locke, *Second Traité du gouvernement, op. cit.*, § 123.

son indépendance. Après Locke c'est ce qui semble ressortir aussi des discussions de l'époque révolutionnaire sur les conditions nécessaires pour être un « citoyen actif ». Ainsi, l'Assemblée législative arrête que, pour avoir le droit de choisir ses représentants, il faut payer un impôt d'au moins trois journées de travail. C'est donc d'un minimum de propriété qu'il s'agit, et ces dispositions excluront « seulement » un tiers de la population masculine en âge de voter[1] (elles deviendront d'ailleurs de plus en plus restrictives, et après la Restauration le suffrage censitaire selon Guizot restreindra pratiquement la citoyenneté politique aux grands propriétaires). L'idée est qu'il faut disposer d'un minimum d'indépendance économique pour être politiquement indépendant. C'est ainsi que les serviteurs sont exclus du vote, parce qu'ils sont encore l'« homme » de leur maître – ils ne sont pas « propriétaires de leur personne ». Il leur manque, comme aux indigents, comme aussi aux moines tenus d'obéir à leur Supé-

---

1. Et aussi de toutes les femmes, ce qui pose un immense problème : l'individu citoyen est exclusivement de sexe masculin. Cependant cela est une autre histoire.

rieur, la possibilité de se conduire réellement comme des individus, c'est-à-dire de s'exprimer en leur propre nom. Mais il convient d'ajouter que ce raisonnement vaut ici sur le plan de la citoyenneté politique[1]. Sur le plan de ce que l'on pourrait appeler une citoyenneté sociale les conditions d'accès à la reconnaissance de l'individu seront beaucoup plus restrictives et excluront pratiquement et pour longtemps ceux qui n'ont que leur travail pour vivre, la « classe non propriétaire[2] ». On pourrait dire que la période révolutionnaire a été relativement souple sur les condi-

---

1. Sur les péripéties compliquées de l'accès à cette citoyenneté politique, voir Pierre Rosanvallon, *Le Sacre du citoyen*, Paris, Gallimard, 1992.

2. L'expression est employée dès l'époque révolutionnaire, preuve que le problème commence alors à se poser ouvertement. Ainsi un nommé Lambert, qui deviendra membre du Comité pour l'extinction de la mendicité, s'adresse-t-il à l'Assemblée constituante dès 1789 pour lui demander d'« appliquer d'une manière spéciale à la protection et à la conservation de la classe non propriétaire les grands principes de justice décrétés dans la Déclaration des droits de l'homme et dans la Constitution » (cf. Louis-Ferdinand Dreyfus, *Un philanthrope d'autrefois, La Rochefoucault-Liancourt*, Paris, Plon, 1903).

tions d'accès à la citoyenneté politique, mais qu'elle n'a rien fait, ou presque, pour les conditions d'accès à la citoyenneté sociale.

C.H. – Comment peuvent coexister – comme vous suggérez que ce fut le cas – une quasi-plénitude de droits politiques et une absence totale de citoyenneté sociale ?

R.C. – C'est le cœur de la contradiction dans laquelle s'est enfermée la Révolution. Elle a assuré tant bien que mal l'accès à la citoyenneté politique, et les dispositions des assemblées révolutionnaires étaient de ce point de vue relativement audacieuses. Mais elle a laissé subsister une misère travailleuse installée dans une situation de non-droit. C'est le noyau de la critique du caractère « formel » des droits « bourgeois » qui sera développée par le marxisme. Mais cette contradiction a été perçue dès l'époque révolutionnaire, témoin cette intervention du conventionnel Harmand lors de la discussion qui aboutira au vote de la Constitution de 1793 : « Les hommes qui voudront être vrais avoueront

avec moi qu'après avoir obtenu l'égalité politique de droit, le désir le plus actuel et le plus
actif, c'est celui de l'égalité de fait. Je dis
plus, je dis que sans le désir ou l'espoir de
cette égalité de fait, l'égalité de droit ne serait
qu'une illusion cruelle qui, au lieu des jouis-
sances qu'elle a promises, ne ferait éprouver
que le supplice de Tantale à la portion la plus
utile et la plus nombreuse des citoyens[1]. »

Cette « portion la plus utile et la plus nombreuse des citoyens », c'est bien cette majorité de travailleurs non propriétaires peuplant
alors le pays de la Déclaration des droits de
l'homme qui vient en même temps de poser le
droit de propriété comme un « droit inaliénable et sacré » (art. 17). C'est ce que l'on
pourrait appeler l'aporie fondamentale de
la propriété, posée comme le support nécessaire de la citoyenneté, mais dont la majorité
des citoyens sont exclus. Mais on peut
comprendre en même temps que la propriété
n'est pas alors une valeur purement conserva-
trice. Elle a été inscrite au cœur des droits de

---

1. Discours du 15 avril 1793, *Archives parlementaires*,
t. LXII, p. 147.

l'homme et du citoyen parce que même les révolutionnaires les plus avancés comme Saint-Just voient bien qu'elle est indispensable pour assurer l'indépendance sociale. Mais ils ne voient pas comment tous les citoyens pourraient l'obtenir – sauf si l'on instaurait, comme l'envisage d'ailleurs Harmand lui-même, « la loi agraire et le partage des fortunes ». Or cette même Convention montagnarde vient de voter une loi punissant de mort quiconque s'en prendra à la propriété, qu'elle soit territoriale, commerciale ou industrielle. L'« individualisme possessif » paraît ainsi condamné à l'impasse. L'illustration la plus éclatante, et la plus étonnante, que l'on puisse en donner est sans doute une note rédigée par l'abbé Sieyès quelques années avant la Déclaration des droits de l'homme et du citoyen à laquelle, on le sait, il a pris une part décisive. Sieyès décrit « les malheureux voués aux travaux pénibles, producteurs de la jouissance d'autrui et recevant à peine de quoi sustenter leur corps souffrant et plein de besoins [...] foule immense d'instruments bipèdes, sans liberté, sans moralité, et ne possédant que des mains peu gagnantes

43

et une âme absorbée[1] ». Ce faisant Sieyès se montre bon observateur, car c'est bien là la condition du menu peuple, « gens de peine et de bras », journaliers et manouvriers misérables des villes et des campagnes représentant une bonne part des travailleurs de l'époque. Mais il témoigne aussi de la coexistence sans médiation d'individus qui vont devenir « libres et égaux en droit » et d'une foule d'« instruments bipèdes » qui vont rester longtemps dans cette situation d'indignité totale. Pour sortir de cette contradiction il va falloir que la propriété cesse d'être le seul support de l'individualité positive. Mais la solution (la propriété sociale) n'est pas encore visible au XVIIIe siècle, ni même durant la plus grande partie du XIXe.

C.H. – Ne tentez-vous pas en fait de livrer une histoire des supports – matériels, politiques, juridiques, institutionnels, symboliques – de l'individu ? Vous revenez en amont, me semble-t-il, de la question de la

---

1. E.J. Sieyès, *Écrits politiques*, Paris, Édition des archives contemporaines, 1985.

44

dépendance. De même que vous vous placez en amont de la question des droits, ou disons encore que les droits font partie de ces supports, ou que ces supports se concrétisent en particulier par des droits. Vous vous interrogez sur les conditions de l'indépendance. Je me demande en définitive si nous n'avons pas un cheminement parallèle qui se croise sur certains points : vous vous attachez aux supports, qui seraient plus étendus et plus fondamentaux que les droits, tandis que j'essaie quant à moi d'appréhender les processus constitutifs qui conduiront des attributs de l'individu à la formulation de droits indissociablement moraux, sociaux et politiques. M'attachant à des besoins, des aspirations, des droits moraux tels que la considération, la reconnaissance, le respect, la dignité, je tente en particulier de lier ces interrogations au projet qu'avait eu Marcuse, de « développer les contenus sociologiques et politiques des catégories psychologiques[1] ».

---

1. Herbert Marcuse, *Éros et civilisation,* Paris, Minuit, 1963, p. 9.

R.C. – J'essaie effectivement de remonter en amont, aux conditions de possibilité pour qu'il soit reconnu à l'individu des droits et aussi une dignité, une reconnaissance sociale. Ainsi, jusqu'au XIXᵉ siècle, les individus appartenant à cette « classe non propriétaire » ne disposeront d'aucun droit social et seront socialement méprisés. Pour avoir des droits il faut disposer de ressources sur la nature desquelles nous nous interrogeons ici. C'est vrai pour le droit de propriété, mais aussi pour les droits sociaux, car l'homme n'est pas né doté de droits sociaux. Pour les obtenir il faut remplir des conditions qu'explicite l'histoire sociale à partir du XIXᵉ siècle et sur lesquelles il faudra revenir. Quant aux droits moraux il est vrai que l'homme peut être mû, comme Axel Honneth l'a récemment rappelé, par un désir profond de reconnaissance et vouloir que l'on respecte sa dignité[1]. Mais la question

1. Axel Honneth, *La Lutte pour la reconnaissance*, Paris, Cerf, 2000. Sur ces questions, voir également *La Considération* (Cl. Haroche et J.-C. Vatin, dir.), Paris, Desclée de Brouwer, 1998, ainsi que Claudine Haroche, « Les paradoxes de l'égalité : le cas du droit à la reconnaissance », in *L'Égalité des chances. Analyses, évolu-*

ici posée est celle des conditions nécessaires pour que ce désir de reconnaissance soit socialement reconnu. Faute de quoi ces individus qui étaient cependant des hommes ont été humiliés, invalidés, stigmatisés, comme le fut ce menu peuple assimilé à la « canaille » par Voltaire lui-même, et comme le seront encore les prolétaires du XIXe siècle.

C.H. – Vous rappelez que l'homme, selon Locke, c'est quelqu'un qui s'approprie la nature, qui devient donc propriétaire et qui, par l'intermédiaire de cette appropriation, devient capable d'exister comme individu, c'est-à-dire de ne dépendre de personne. Pourriez-vous préciser ce que vous entendez par « exister comme individu »? Ce que je discerne en ce qui me concerne est difficilement dissociable d'une transformation dans le rapport à soi dans la représentation que se fait l'individu de lui-même, transformation qui s'accompagne de la recherche de non-dépendance.

———

tions, perspectives (G. Koubi et G. Guglielmi, dir.), Paris, La Découverte, 2000.

R.C. – Exister positivement comme un individu c'est, me semble-t-il, avoir la capacité de développer des stratégies personnelles, disposer d'une certaine liberté de choix dans la conduite de sa vie parce que l'on n'est pas dans la dépendance d'autrui. Je crois que c'est à peu près la définition qu'en donne Locke, le fait de n'être l'homme de personne, c'est-à-dire à son époque de ne pas être pris dans ces relations qui sont les caractéristiques de ce que Louis Dumont appelait les sociétés holistes, structurées par des relations de sujétion traditionnelles entre les gens. En ce sens être un individu – et c'est l'acte de naissance de l'individu moderne –, c'est n'être plus dans cette position où l'on est toujours référé à autrui pour exister. Et c'est pourquoi, plus que d'un sentiment ou d'une perception de soi – parce que ces individus peuvent sans aucun doute avoir des sentiments, une intériorité et une conscience d'eux-mêmes, et d'ailleurs Locke lui-même parle de conscience et même de « self-consciousness[1] », mais ce n'est pas

---

1. John Locke, *Essai sur l'entendement humain*, Paris, Vrin, § 16.

à ce point que je m'attache –, il est question ici d'une activité d'appropriation qui est la condition de possibilité de la propriété de soi, et partant de la conscience, des sentiments, etc. C'est pourquoi aussi cette affirmation de l'individu est étroitement connectée avec le travail, avec ce que Dumont appelle le « rapport aux choses ». Cet individu moderne, quels que soient ses sentiments, c'est celui qui fondamentalement ne dépend pas, quant à son existence sociale, des rapports hiérarchiques qui prévalent dans une société à statuts parce qu'il se constitue par ses actes d'appropriation.

Il y a ainsi une simultanéité entre la découverte de l'indépendance de l'homme par rapport aux tutelles traditionnelles et celle de sa capacité d'affirmation comme œuvrant dans le monde. C'est ce que Dumont exprime en parlant de la suprématie, qui caractérise l'homme moderne, du « rapport aux choses » sur le « rapport aux hommes ». Comme je l'ai déjà suggéré, cette position me paraît s'accorder avec la thèse de Marcel Gauchet sur le « désenchantement du monde ». La posture de Locke suppose une position anthropologique

où l'homme n'est plus hétéro-déterminé ni
par les hiérarchies traditionnelles (« rapport
aux hommes ») ni par le rapport à la transcendance, mais où il a la possibilité de
s'accomplir ici-bas, parce que l'étau du religieux s'est desserré, comme pourrait le dire
Gauchet, à peu près en même temps que se
desserre l'étau des ordres, des états, des statuts traditionnels. Ainsi, l'individu « hors du
monde », dont la figure principale a été l'individu chrétien, le croyant, est désormais rapa-
trié en ce monde-ci. Sa tâche principale n'est
plus de faire son salut, c'est-à-dire d'entrete-
nir un rapport au divin, au religieux, à Dieu,
ni non plus de tenir son rang dans une société
d'ordres et d'états, mais de s'accomplir ici-
bas, qui est désormais l'unique référent. Il
peut donc maintenant jouer l'essentiel de son
destin à travers son « rapport aux choses »,
son activité de transformation et de maîtrise
de la nature, son travail[1]. C'est l'émergence

---

1. On peut préciser que cette découverte de la centralité du travail débouche sur la découverte de la centralité
du marché, et de ce point de vue Adam Smith prolonge et
complète Locke : « La valeur d'une denrée quelconque
[...] est égale à la quantité de travail que cette denrée le

de l'individu moderne, à l'aboutissement simultané du double processus de « désenchantement du monde » et de sortie de la société « holiste ».

C.H. – Je pense que l'activité d'appropriation implique des sentiments, disons plus précisément un rapport aux sentiments moraux et à la moralité (je me réfère ici à la *Théorie des sentiments moraux* de Smith) qui la soustendent ; cette appropriation s'accompagne ou fait naître des sentiments. Dumont souligne lui aussi que « la "propriété" n'est pas ici une catégorie économique pure et simple. [...] Je crois que nous ne nous tromperons pas

---

met en état d'acheter ou de commander. Le travail est donc la mesure de la valeur échangeable de toute marchandise » (*Recherches sur la nature et les causes de la richesse des nations* [1776], livre I, chap. IV, G.F.-Flammarion, Paris, 1991, p. 99). La valeur effective du travail équivaut à sa valeur d'échange mesurée sur le marché. Le travail et l'échange économique sont ainsi les deux activités fondamentales de l'individu moderne qui se définit donc comme un individu complètement immergé dans le monde. (L'autre registre d'existence de l'individu moderne c'est la politique, la pratique de l'individu-citoyen, qui est aussi une activité « mondaine ».)

beaucoup si nous disons que chez Locke le politique comme tel est réduit à être une adjonction à la morale et à l'économique. La moralité et l'économique fournissent dans la Loi de Nature le fondement sur lequel la société politique doit être construite. [...] J'ai noté la disparition de la subordination comme principe social ; elle est dans une grande mesure remplacée par l'obligation morale[1] ».

Vous soulignez ce passage du rapport de dépendance aux hommes au rapport de dépendance aux choses qui confère l'indépendance. N'y a-t-il pas là pourtant l'existence d'une continuité silencieuse ? Les hommes, dans la démocratie, ont emporté beaucoup de choses de l'Ancien Régime, posait Tocqueville. Ne pourrait-on pas dire que dans le rapport aux choses les hommes ont emporté des éléments du rapport aux hommes ? Je ne suis en effet pas convaincue que le rapport aux choses assure, garantisse ou structure un rapport qui soit complètement indépendant du rapport aux

---

1. Louis Dumont, *Homo aequalis*, *op. cit.*, pp. 75-76.

hommes. C'est la forme de la dépendance
qui change, mais perdurent, me semble-t-il,
un certain nombre de constantes anthropologiques.

Je crois qu'il y a ici un problème de fond
qui mérite d'être formulé, explicité : l'activité d'appropriation ne saurait écarter la
question des sentiments, des sentiments
moraux en particulier. Quoique cela n'ait
pas constitué un cadre de réflexions pour
Locke, ou l'une de ses visées, il me semble
cependant justifié de réfléchir à cette question qui ne pouvait sur le fond lui être étran-
gère, même si elle l'était dans la forme.
Rousseau, un peu plus tard, aborde ce type
de questions, tout comme Smith dans sa
Théorie des sentiments moraux. Nous par-
tons de Locke pour retracer la construction
de l'individu, mais il me semble intéressant
de ne pas se limiter à lui et d'éclairer ce parcours par des rapprochements éventuellement peu habituels, de même encore par des
travaux ultérieurs développant, prolongeant
la pensée de Locke.

R.C. – Je suis tout à fait d'accord pour
prendre Locke comme un point de départ,

parce qu'il est à ma connaissance le premier à avoir posé clairement cette question du support-propriété, mais non comme l'aboutissement de cette réflexion sur l'individu moderne. Rousseau a d'ailleurs sur la propriété une position très voisine de celle de Locke puisqu'il appelle de ses vœux l'avènement d'une société de petits propriétaires pouvant assurer, comme les paysans suisses, leur indépendance par leur travail[1]. Mais plus fondamentalement vous avez raison de dire que le nouveau rapport aux choses qui s'instaure avec la modernité n'est pas indépendant d'un rapport aux hommes. La production économique qui passe au premier plan va s'inscrire dans de nouveaux rapports sociaux, des « rapports aux hommes », et de nouvelles hiérarchies sociales qui pourront être aussi impitoyables que les anciennes se constitueront sur la base du « rapport aux choses », des rapports de propriété qui se cristalliseront en

---

1. Jean-Jacques Rousseau, *Projet de Constitution de la Corse*, 1765. Cette référence à la petite propriété comme garant nécessaire de l'indépendance est d'ailleurs fréquente chez cet auteur.

rapports de classe. Locke ne pouvait anticiper ces développements, mais il les a sans doute soupçonnés. Je songe en particulier à un passage du *Second Traité*, très significatif à cet égard, dans lequel Locke énonce comme une évidence le fait que le propriétaire s'approprie le travail de son serviteur[1]. Ce serviteur est un salarié qui travaille contre une rétribution, mais qui est dépossédé du produit de son travail. Le propriétaire est aussi propriétaire du travail de son serviteur. C'est le principe de la séparation de la propriété et du travail qui va avoir d'énormes conséquences sociales avec le développement du salariat et qui va entraîner de nouvelles formes de subordination hiérarchique fondées sur l'exploitation du travail. Mais ces conséquences n'apparaîtront claire-

---

1. « Ainsi l'herbe qu'a broutée mon cheval, la tourbe que mon serviteur a coupée [...] deviennent ma propriété sans que quiconque me l'attribue ou y consente. En les faisant sortir de cet état commun où ils se trouvent, le travail qui était mien a établi sur eux ma propriété » (John Locke, *Second Traité du gouvernement, op. cit.*, § 28). À vrai dire seul le propriétaire travaille, le travail du serviteur n'étant que l'expansion du droit du propriétaire.

ment que plus tard : la découverte de ce que l'on a appelé le paupérisme dans la première moitié du XIXe siècle a profondément étonné les contemporains, car c'était la révélation d'une nouvelle misère de masse attachée à l'industrialisation, c'est-à-dire au développement même de la richesse de la société qui réalisait de fantastiques « gains de productivité », comme nous pourrions dire aujourd'hui, et qui en même temps invalidait les travailleurs à l'origine de cette richesse...

Néanmoins je crois, sans y voir nécessairement une différence absolue, qu'il s'agit d'un tout autre régime de subordination. Les sociétés « holistes », ou fonctionnant essentiellement sur le « rapport aux hommes » au sens où Dumont l'entend, sont aussi des sociétés dont l'objectif fondamental est de se reproduire, ce qui se traduit par l'exigence pour leurs membres de « garder leur rang ». Voilà pourquoi ce sont des sociétés qui fonctionnent à l'honneur, et non pas à l'accumulation ou au progrès. Certes, la différence n'est pas absolue : Fernand Braudel et d'autres ont montré que dans les sociétés pré-industrielles se développent des germes, et même des secteurs de capitalisme dynamique, conduisant à ce que l'historien anglais Alan Fox appelle un « individualisme de marché ». La posture accumulatrice est donc déjà présente, mais elle est comme enserrée, bridée, par les relations hiérarchiques traditionnelles, elle ne peut s'épanouir librement. Elle ne pourra devenir le régime dominant qu'à la sortie de l'« Ancien Régime ». Ainsi bien avant le XVIIIe siècle se dessinent des figures et aussi des pratiques, des comportements, qui anticipent les postures de transformation, d'accumulation capitaliste, et sans doute comme Braudel le montre, dès le XIVe siècle sous la forme du capitalisme marchand dans des villes comme Venise. À l'inverse, après la double révolution industrielle et politique du XVIIIe siècle, il demeurera des positions hiérarchiques traditionnelles fondées sur le statut. La noblesse par exemple n'est pas complètement morte la nuit du 4 Août, et les rapports traditionnels de dépendance pèseront encore longtemps, surtout dans les campagnes. Néanmoins je pense qu'il se produit avec l'avènement de la modernité un tournant essentiel, une transformation décisive du régime de la subordination qui va dans une large mesure tourner dans la société industrielle autour de l'opposition de la propriété et du travail.

C.H. – Il serait intéressant d'essayer de creuser la nature de la différence, ce qui perdure et ce qui change. C'est là sans doute que nous ne sommes pas tout à fait d'accord. Peut-être avons-nous une lecture un peu différente de Dumont, ou encore ne sommes-nous pas sensibles aux mêmes développements dans ses analyses. Quand nous parlions du rapport aux hommes comme du rapport aux choses, je pensais à la question du regard de l'autre, du regard social qui est, me semble-t-il, présent dans les deux types de rapport. Vous parlez de garder son rang dans les sociétés holistes. La question du rang, c'est la question de la place, de l'inscription dans les sociétés, de l'importance sociale qu'a un individu à ses yeux et aux yeux des autres : elle se pose également – sous des formes peut-être plus complexes, beaucoup moins aisément discernables – dans les sociétés contemporaines (dans les fonctionnements institutionnels, bureaucratiques notamment). D'une manière générale, la question de l'honneur ne cesse de se poser aujourd'hui, en particulier sous le terme différent et proche tout à la fois de « dignité ».

R.C. – Pour ma part je suis tout à fait d'accord pour dire que la question de l'honneur, « ne pas perdre la face », se pose sans doute aujourd'hui dans les banlieues d'une manière aussi aiguë qu'au Siècle d'or espagnol par exemple. Mais elle se pose différemment. Ce qui est en question ici ce n'est pas l'importance du regard de l'autre, mais le fait que cette importance du regard de l'autre avait une signification spécifique dans les sociétés qui fonctionnaient à l'honneur. Dans ces sociétés les prérogatives que l'on défend dépendent d'une place assignée. Par exemple le Don Diègue de Corneille est un homme d'honneur par excellence. C'est un homme qui fonctionne à l'honneur parce que l'impératif catégorique, pour lui, c'est de ne pas déroger. Il est le représentant d'un lignage, d'une famille, et le fidèle de son suzerain le roi d'Espagne. C'est ce rang qu'il défend, reproduit. Il cristallise sur sa personne une fonction sociale et c'est cette fonction qui le commande. Don Diègue est un homme de caractère dont le caractère est forgé par son statut. Je crois que c'est tout à fait différent de l'adhésion au processus d'acquisition qui va se développer par l'intermédiaire du « rapport aux choses » et que va incarner le bourgeois capitaliste par exemple. Celui-ci n'est pas indifférent au regard de l'autre, mais son point d'honneur tiendra d'abord à sa réussite matérielle, à ses capacités d'entreprendre et de s'enrichir, au pouvoir et au prestige qu'il tire de cette position, à son mérite personnel et non à son rang[1]. Quant au jeune de banlieue, et il faudra y revenir, il a sans doute un sentiment exacerbé de l'honneur parce qu'il ne possède rien et n'a rien d'autre à défendre que la présentation de soi-même comme dirait

---

1. Ainsi, évoquant « la lutte que la bourgeoisie engage au seuil des Temps modernes contre la notion fondamentale de l'honneur aristocratique », Axel Honneth ajoute : « Désormais, le sujet entre comme une grandeur dotée d'une histoire individuelle sur le terrain disputé de l'estime sociale » (*La Lutte pour la reconnaissance*, *op. cit.*, p. 152).

Erving Goffman : il est le dos au mur. Il ne peut développer des stratégies très sophistiquées pour défendre son honneur.

C.H. – Pourquoi recourez-vous tellement au terme de « stratégies » ?

R.C. – C'est un mot que je prends volontairement dans un sens commun, prosaïque, sans entrer dans les subtilités des raisonnements stratégiques, de la théorie des jeux, etc. Je pourrais dire aussi bien : « avoir une certaine liberté de choix » par exemple. Mais comme le mot de liberté est assez chargé philosophiquement, je préfère parler de stratégies, entendant par là la possibilité de choisir certaines options, de prendre des initiatives, de développer des projets, etc., qui sont effectivement des prérogatives que l'on prête aux individus. Mais cela a un sens très concret. Prenons l'exemple de quelqu'un qui se propose d'accéder à la propriété, comme une partie de la classe ouvrière a pu commencer à le faire, surtout à partir des années 1960. Dans ce cas je dis qu'il a la capacité de développer des stratégies, c'est-à-dire que, par exemple, il va pouvoir emprunter à une banque parce qu'il a un revenu fixe, qu'il ne vit plus au jour le jour. Donc il peut développer des projets, comme aussi envisager que ses enfants puissent entreprendre une scolarité prolongée, et même peut-être aller à l'université. Tandis que le prolétaire des débuts de l'industrialisation ne pouvait pas anticiper l'avenir, il n'avait aucune stratégie propre, il vivait dans l'immédiateté du besoin, bricolant pour survivre « au jour la journée ». Mais la question qui m'intéresse surtout est, je le répète à nouveau, celle des conditions de possibilité, ce que j'appelle les supports, à partir desquels un individu peut ou ne peut pas développer ce type de stratégies. Ce n'est pas de l'individu comme intériorité qu'il s'agit, bien que l'individu puisse avoir une intériorité.

.C.H. – Vous dites à un moment que plus on est seulement un individu, plus on se fait avoir. « Parce que, dans cette relation pure ou libre entre deux individus, il y a l'employeur qui a des ressources, des biens, il peut attendre, grâce à un certain rapport au temps : l'absence d'urgence, la non-immédiateté ; tandis que l'autre n'a rien, hormis l'urgence de son besoin, qui fera qu'il est obligé de contracter le plus vite possible et presque à n'importe quel prix[1]. » Ainsi, ce type d'individu libre risque d'être soumis à la nécessité, d'être complètement instrumentalisé.

Je ne peux m'empêcher de penser, bien qu'il s'agisse d'un contexte radicalement différent, au texte de Hannah Arendt sur la complexité des droits de l'homme. Prenant l'exemple des apatrides, Arendt pose que des gens qui n'avaient en réalité que des droits abstraits n'avaient rien parce qu'ils se trouvaient hors de toute appartenance, de toute inscription dans une communauté[2].

R.C. – La référence que vous venez de faire à la critique du contrat de travail des débuts de l'industrialisation exemplifie parfaitement à mes yeux le fait qu'il peut y avoir deux manières diamétralement opposées d'être un

---

1. « Libéralisme et individualisme », *op. cit.*, p. 80.
2. Hannah Arendt, *Les Origines du totalitarisme. L'impérialisme,* chap. v, « Le déclin de l'État-nation et la fin des droits de l'homme », Paris, Fayard, 1982.

individu selon que l'on dispose ou non de supports. Au début du XIXe siècle, dans la mesure où la loi Le Chapelier est appliquée, certains individus – les artisans, les compagnons – sortent des systèmes indissociablement de contraintes et de protection qui étaient ceux de l'organisation corporatiste du travail. Ils deviennent effectivement des individus qui peuvent vendre librement leur force de travail sur un marché du travail qui se constitue à l'époque, du moins en principe, sur la base du contrat de louage de la force de travail. Cette relation contractuelle de travail met en présence deux individus, mais qui ne sont pas également des individus. D'un côté il y a l'employeur qui, en général, a des biens, des réserves, et qui peut négocier et développer des stratégies pour maximiser son intérêt. De l'autre côté il y a l'individu qui est obligé de contracter le plus vite possible. Il ne peut pas attendre, ne serait-ce que parce qu'il a faim, ou qu'il aura faim bientôt, ou qu'il a sa famille à nourrir, c'est-à-dire qu'il va tomber très vite sous l'emprise du besoin. De sorte que l'on voit concrètement comment la belle idée d'un individu libre et autonome peut se dégrader en celle d'un individu qui est commandé par le besoin, simplement parce qu'il ne dispose pas de ressources pour attendre. Il me semble que c'est ce que Hannah Arendt veut dire aussi lorsqu'elle parle, au tournant de la Révolution française, de la défaite de la liberté politique sous l'emprise de la nécessité du besoin. En tout cas cette dimension temporelle a une importance décisive pour assurer, ou au contraire interdire, l'indépendance. Elle traduit existentiellement ce que j'entends par la nécessité d'avoir des supports pour être positivement un individu. Si l'individu n'a pas de réserves il devient évanescent et, pour parler un peu familièrement, il se fait toujours avoir, immédiatement ou à la longue, mais moins on dispose de réserves et moins longtemps ça dure.

C.H. – Hannah Arendt souligne l'écart entre droits politiques formels et droits politiques concrets à propos des apatrides. Cette question renvoie – implicitement peut-être, mais inévitablement – à la dimension temporelle, c'est-à-dire à la question de la protection face à l'immédiateté, à l'urgence.

R.C. – Oui, on voit bien que la maîtrise, la capacité de développer des stratégies passe aussi par la maîtrise du temps. Il ne faut pas être sous l'urgence du besoin. Il faut donc avoir des réserves qui permettent d'attendre et de négocier, de construire des projets, d'anticiper l'avenir, de prévoir.

C.H. – Des réserves pour pouvoir attendre, temporiser. La propriété éviterait ainsi cette réduction au corps qui participe, voire aboutit à l'instrumentalisation de l'individu. Vous employez à plusieurs reprises une expression que je trouve très juste : « payer de sa personne ». Il ne reste plus que le soi, et la force de travail, la force au sens littéral du terme.

R.C. – Avoir des réserves, c'est aussi avoir la capacité de ne pas être instrumentalisé dans son corps. D'ailleurs il y a une belle métaphore littéraire, et qui traduit peut-être la première intuition de cela, dans *Le Marchand de Venise* de Shakespeare. Ce n'est sans doute pas par hasard que l'histoire se passe à Venise, c'est-à-dire dans une société qui est déjà capitaliste, bien que l'on soit au XVIᵉ siècle dans le contexte du capitalisme marchand, et pas encore du capitalisme industriel. Shylok, l'usurier vénitien, demande à celui auquel il prête de l'argent, un notable faisant le commerce maritime, de garantir son prêt par une livre de chair. Le notable ne se méfie pas car il croit être préservé par ses richesses et par son statut. Mais comme le bateau n'arrive pas au port et que l'on croit qu'il a fait naufrage et que son propriétaire est ruiné, l'usurier est en droit de lui demander une livre de chair, une livre de sa chair, en contrepartie de l'argent qu'il ne peut plus rembourser. Le contrat commercial débouche ainsi sur une pratique barbare et cruelle. Finalement dans la pièce de Shakespeare les choses s'arrangent – pour le noble vénitien du moins. Mais c'est une belle métaphore de ce que peut vouloir dire « payer de sa personne » : lorsque l'on n'a pas d'autres ressources, la seule chose que l'on puisse donner en échange, c'est ce que l'on doit extraire de son corps. On peut aussi voir là une métaphore de la condition des prolétaires aux débuts de l'industrialisation, qui ont tué leur corps au travail, qui ont perdu leur vie à essayer de la gagner.

C.H. – Je crois que c'est une métaphore à prendre concrètement, au pied de la lettre.

R.C. – En effet. Quand on n'a pas d'autres ressources, cela veut dire qu'on est toujours en première ligne, on est toujours au feu, on ne peut pas se replier, il faut donner de sa personne, on est pris à la gorge, comme l'ont été les premiers prolétaires. On est sans doute un individu, mais dans ces conditions c'est un lourd fardeau. La propriété de soi se réduit alors à la propriété de son corps (que même le prolétaire garde, car c'est un salarié, et non un esclave) avec lequel on est obligé de payer cash parce qu'on n'a pas d'autre monnaie d'échange. Alors, « on paie de sa personne ». Cela peut d'ailleurs aller jusqu'à la prostitution. Une autre représentation littéraire de cette situation dramatique, dans *Les Misérables* de Victor Hugo, c'est le personnage de Fantine, la mère de Cosette qui travaille dans l'atelier de textile de Monsieur Madeleine à Montreuil. Elle paie déjà pas mal de sa personne comme tous les travailleurs, mais dans des conditions relativement décentes. Mais lorsqu'elle est renvoyée de l'atelier, elle doit se livrer à la prostitution pour nourrir Cosette, et elle meurt dans la déchéance, à la fois d'épuisement et de déshonneur. C'est cela, à l'extrême limite, ce que j'appelle être un individu sans supports.

Cela ouvrirait une réflexion qui pourrait être extrêmement intéressante sur la propriété du corps. Avoir la propriété de soi, c'est sans doute être propriétaire de son corps. Mais que recouvre exactement cette expression? Signifie-t-elle que le corps est une marchandise commercialisable qui nous appartient et que l'on peut vendre son corps sur le marché? Locke, qui avait en tête le contre-modèle de l'esclavage, a défendu avec beaucoup de vigueur le caractère inaliénable du corps humain. Mais de la revendication féministe « mon corps est à moi » à la notion de patrimoine génétique commun de l'humanité, en passant par les débats sur le don et la vente d'organes, ou encore sur le droit pour les transsexuels de choisir leur sexe, on voit bien que le rapport propriété de soi-propriété de son corps est encore bien loin d'être élucidé. Ces dimensions sont essentielles dans le cadre d'une problématique de l'identité[1]. Cependant ici c'est seulement de la propriété de soi entendue comme le support de l'indépendance de l'individu qu'il s'agit.

---

1. Beaucoup de ces questions ont été abordées lors de la Décade de Cerisy *La Propriété* que j'ai co-organisée en juillet 1999 avec Étienne Balibar, Catherine Colliot-Thelene et Bertrand Ogilvie (non encore publiée). Je dois beaucoup pour l'élargissement de la notion de propriété que je tente aux échanges qui ont eu lieu dans ce cadre. Par ailleurs Charles Taylor (*Sources of the self*, 1989, trad. fr. *Les Sources du moi. La formation de l'identité moderne*, Paris, Seuil, 1998) propose une magistrale approche généalogique de cette problématique de l'identité. La démarche de Taylor montre bien que la recherche des conditions de l'identité et de l'intériorité de l'individu moderne surplombe largement la recherche des conditions de son indépendance qui est esquissée ici, mais aussi le fait que les deux démarches sont congruentes et complémentaires.

II

La réhabilitation des non-propriétaires

C.H. – Quand vous parlez de supports vous parlez des supports de la propriété matérielle, et aussi de la propriété sociale. Comment est-ce lié selon vous au fait d'avoir un statut, une identité ?

R.C. – Vous posez là la question de la nature et des fonctions de la propriété sociale dans sa différence avec la propriété privée, et la réponse exige quelques détours. On pourrait repartir de ce que vous avez dit auparavant, à savoir que je me proposais de faire une sorte de genèse ou d'histoire des supports de l'individu.

Ce serait à coup sûr l'ambition ultime de mon propos car, selon moi, on ne peut comprendre une situation qu'en reconstruisant le système de transformations historiques qui conduisent à sa configuration actuelle, ce qui serait effectivement faire sa généalogie. Ainsi pour rendre compte de la problématique de l'individu contemporain faudrait-il faire l'histoire de son présent, saisir ce qu'elle offre de spécifique par rapport à ses configurations antérieures. Mais je n'ai évidemment pas la prétention de faire ici cette histoire, ou cette généalogie, dans toutes ses péripéties, et je souhaite seulement marquer quelques-unes de ses étapes essentielles. Or la découverte de la propriété sociale est un de ces moments essentiels, et le plus essentiel sans doute.

C.H. – Autrement dit, c'est l'histoire de la condition, ou plutôt de la capacité à être propriétaire, que vous cherchez à retracer.

R.C. – Oui, mais sous l'angle des transformations profondes qui sont intervenues dans la conception même de la propriété. De ce point de vue quelque chose de fondamental se produit à partir de la fin du XIXe siècle : le développement de la propriété sociale. Si l'on repart d'où nous en étions restés tout à l'heure

– à la prise de conscience, avec Locke par exemple, que l'individu moderne a besoin du support-propriété –, on s'aperçoit que cela pose tout de suite un immense problème pour les non-propriétaires. Comment vont exister les individus qui ne sont pas propriétaires, et qui deviennent de plus en plus nombreux ? C'est en effet le cas de la majorité des travailleurs qui n'ont que leur travail pour vivre, et qui se multiplient avec les progrès de l'industrialisation et de l'urbanisation. C'est le problème de ce que l'on va appeler le paupérisme au début du XIXe siècle. Une majorité de non-propriétaires paraît condamnée à la misère et à la déchéance sociale. La réponse à ce problème s'amorce à la fin du XIXe siècle et s'affirmera au XXe. C'est, pourrait-on dire, l'invention d'un équivalent, ou d'un *analogon* de la propriété pour les non-propriétaires, et qui s'obtient non plus par la possession d'un patrimoine, mais par l'entrée dans des systèmes de protection. Ces protections sont construites sur la base du travail, de sorte que dans l'exemple évoqué précédemment de l'ouvrier qui ne pouvait plus travailler parce qu'il était malade ou trop vieux, et qui ou bien tombait sous la dépendance de ses enfants, ou bien relevait des formes plus ou moins infamantes de l'assistance de l'époque, il aura désormais droit à une protection qui lui permettra de continuer à exister comme un individu alors même qu'il ne pourra plus travailler. Il aura désormais la possibilité d'être dans la sécurité sans être propriétaire. Cette possibilité passe par la construction de protections sociales, de droits sociaux. C'est la promotion d'une forme nouvelle de propriété que l'on peut appeler « la propriété sociale ». La propriété sociale n'est pas la propriété privée, mais c'est une sorte d'*analogon* de la propriété, qui fait fonction de propriété privée pour les non-propriétaires et qui leur assure la sécurité.

C.H. – Vous utilisez parfois des termes forts tels que ceux de dépendance ou de déchéance sociale sans vous arrêter vraiment sur les contenus, les effets, les sentiments éprouvés par les individus. Vous vous focalisez sur les structures sociales, économiques. Il me semblerait pertinent également d'examiner ensemble les structures, les interactions, les effets produits sur les subjectivités. Ne pensez-vous pas qu'il serait intéressant de ne pas s'en tenir au sens étroit de la propriété, de tenir compte des effets provoqués par la propriété ou l'absence de propriété?

Mais revenons au terme de « propriété sociale » que vous avez mentionné à plusieurs reprises. De quand date l'emploi de ce terme?

R.C. – Je ne me cantonne pas aux structures économiques, mais j'essaie de prendre en compte les effets provoqués par la propriété ou l'absence de propriété, et ils sont fondamentaux d'un point de vue anthropologique puisqu'il s'agit de la possibilité ou de l'impossibilité pour l'individu d'exister positivement. Mais l'analyse que je propose s'en tient effectivement au niveau des structures sociales et des effets sociaux, pour des raisons méthodologiques sur lesquelles nous aurons à revenir. S'agissant du terme de propriété sociale, c'est une notion très employée à la fin du XIXe et au début du XXe siècle, mais dont la signification n'est pas univoque. Pour faire simple on peut dire qu'elle est utilisée par certains courants du socialisme associationniste, et aussi par Jean Jaurès, pour signifier la réappropriation par les travailleurs du produit de leur travail pouvant déboucher à la limite sur une démocratie sociale[1]. Mais le terme circule aussi dans le milieu de ces penseurs de la IIIᵉ République, tels Alfred Fouillée, Émile Durkheim, Léon Bourgeois, etc.[2], qui sont à la recherche d'une position intermédiaire entre un libéralisme pur et dur, pour lequel la propriété privée est le seul socle de la reconnaissance sociale, et la propriété collective des « partageux » qui veulent abolir la propriété privée. La propriété sociale est une sorte de moyen terme qui inclut la protection sociale, le logement social, les services publics, un ensemble de biens collectifs fournis par la société et mis à la disposition des non-propriétaires pour leur assurer un mini-

---

1. Voir Philippe Chanial, « Solidaires ou citoyens ? Jean Jaurès et les équivoques de la propriété sociale », *Mana*, P.U. Caen, n° 7, 1ᵉʳ trimestre 2000.

2. Voir en particulier Alfred Fouillée, *La Propriété sociale et la démocratie*, Paris, 1884. Je dois à Henri Hatzfeld, *Du paupérisme à la Sécurité sociale*, Paris, Plon, 1971, d'avoir pris conscience des implications essentielles de cette interprétation de la propriété sociale.

mum de ressources, leur permettre d'échapper à la misère, à la dépendance et à la déchéance sociale. C'est à cette conception que l'on peut qualifier de « réformiste » de la propriété sociale que je me réfère ici, non par choix idéologique, mais parce que c'est elle qui s'est imposée historiquement pour former la base d'un nouveau système de protections constituant l'ossature de ce que l'on appelle l'État-providence. Sans abus de langage, on peut parler d'une véritable invention qui propose une réponse originale à la séparation de la propriété et du travail qui a marqué les débuts de la révolution industrielle.

On a déjà noté qu'à l'époque révolutionnaire certains contemporains avaient perçu le problème énorme que posait d'une part la nécessité d'être propriétaire pour bénéficier d'une certaine reconnaissance et pour occuper une position assurée dans la société, et d'autre part le fait que la majorité de la population était constituée de non-propriétaires. Dans un premier temps on a pu penser que la solution était d'élargir l'accès à la propriété privée. Quelques tentatives ont été faites qui paraissaient aller dans ce sens, comme la vente des

biens nationaux ou le partage des commu-
naux. Mais on sait que l'on n'est pas allé très
loin dans cette voie parce que ce sont en général ceux qui étaient déjà propriétaires qui ont
pu acheter des biens nationaux. L'idéal d'une
république de petits propriétaires, qui était
celui de Saint-Just et de l'aile radicale de la
Révolution inspirée par Rousseau, n'a pas pu
se réaliser[1]. Et il a pu d'autant moins se réaliser qu'avec l'industrialisation et l'urbanisation ce modèle, qui supposait une France
majoritairement rurale, s'est révélé de plus en
plus irréaliste. De même l'idée qu'une majorité de salariés pourraient quitter cet état pour
s'établir à leur compte et devenir propriétaires
semble de plus en plus irréaliste au fur et à
mesure que le salariat se généralise. L'option
du collectivisme révolutionnaire, l'abolition
de la propriété privée, peut alors paraître la
seule alternative à l'hégémonie de la propriété
privée, mais elle passe par l'instauration d'un
tout autre type de société que les classes

---

1. Il y a eu aussi quelques tentatives plus radicales
encore, comme le communisme de Babeuf, mais elles ont
fait long feu.

dominantes au pouvoir ne peuvent accepter. La propriété sociale ouvre une troisième voie. La propriété privée est conservée et le salariat est maintenu comme la forme dominante de l'organisation du travail. Mais ce salariat va être consolidé. Des protections vont être attachées au travail et permettre à une majorité de travailleurs de jouir d'un minimum de ressources et de sécurité, même s'ils ne sont pas propriétaires. Ils vont disposer d'un socle minimal pour se conduire positivement comme des individus, même si ce socle n'est pas la propriété privée. La propriété sociale représente une nouvelle condition, une ressource historiquement inédite pour assurer l'accès à l'indépendance et à la propriété de soi. Elle surmonte ainsi l'aporie dans laquelle était prise la propriété privée d'être à la fois nécessaire et impossible à généraliser.

C.H. – Peut-on arriver à comprendre comment ces auteurs de la IIIe République ont été amenés à essayer de penser en raison et en droit la question de la propriété sociale, du droit social ?

R.C. – Il y a certainement plusieurs réponses ou éléments de réponse possibles, mais la position de Durkheim – l'un des représentants les plus éminents de ce courant et en même temps, comme chacun sait, l'un des fondateurs de la sociologie – me paraît tout à fait éclairante sur ce point. La pensée de Durkheim exprime la prise de conscience que le développement de la modernité est un processus irréversible qui ébranle profondément la structure de la société et pose sur des bases nouvelles la question des protections ou de la solidarité. Les progrès de la division du travail, qui entraînent aussi une urbanisation et une salarisation croissantes de la population, ébranlent d'une manière irréversible ce que l'on peut appeler les « protections rapprochées » des sociétés à prépondérance rurale accrochées à des prises en charge familiales et de voisinage. Un nombre croissant de gens décrochent de ces solidarités « naturelles » – évidemment, il faut mettre des guillemets –, des formes de socialité primaire des protections rapprochées : c'est le risque de l'anomie, pour reprendre le terme de Durkheim, si l'on ne fait rien pour contrer ce processus. Et qui peut faire quelque chose, dans la mesure où la société civile s'affaiblit et où les autres types de solidarité s'estompent, pour ne pas dire disparaissent ? C'est l'instance du collectif, c'est-à-dire l'État. L'État doit intervenir pour maintenir la cohésion sociale (la « solidarité organique ») parce que la société civile ne peut pas être laissée à elle-même, parce qu'elle n'a plus les moyens d'assurer par elle-même la cohésion sociale.

Je crois que c'est à ce moment-là que s'est faite cette prise de conscience, à la fin du XIXᵉ siècle, même si la traduction pratique de cette exigence a été dans un premier temps plus que modeste. Le droit au secours s'impose dans cette logique à la fin des années 1880 ; la loi sur les retraites ouvrières et paysannes, première loi d'assurance sociale obligatoire qui protège les salariés sous la garantie de l'État, est votée en 1910.

C.H. – Oui mais ensuite il va y avoir une expansion de ces droits sociaux, de cet État-providence. Vous dites qu'il y a eu un début très modeste, mais de quand date son expansion ?

R.C. – En schématisant beaucoup il y a un premier stade du développement de l'État social, celui de la IIIe République, pendant lequel les dispositifs mis en place sont effectivement très modestes, pour ne pas dire dérisoires. Il y a un droit au secours, mais sa juridiction est des plus restrictives : il faut être complètement démuni pour en bénéficier. Il y a, avec la loi sur les retraites, l'amorce d'un régime assurantiel, c'est-à-dire protégeant des populations plus étendues que celles qui relèvent de l'assistance en tant qu'handicapées, malades, incapables de travailler. Mais sous la IIIe République encore, et même jusqu'à la Seconde Guerre mondiale, ce sont seulement les plus modestes des salariés qui peuvent en bénéficier[1]. L'idée domine encore que lorsqu'on dispose de ressources supérieures au seuil d'indigence on n'a pas besoin d'être assuré collectivement contre les risques sociaux, parce que c'est encore la propriété

---

1. Même les bénéficiaires des « assurances sociales » des années 1930 sont seulement les travailleurs placés *au-dessous* d'un seuil de salaire, qui est d'ailleurs révisé périodiquement.

privée qui peut vraiment assurer l'individu contre ces risques.

Une deuxième étape qui s'impose à partir de 1945 avec la Sécurité sociale est la généralisation de cette couverture à l'ensemble des travailleurs, et même bientôt à pratiquement l'ensemble de la population. C'est le développement de ce que l'on est en droit d'appeler désormais une société salariale. Une société salariale n'est pas seulement une société dans laquelle le salariat est largement majoritaire, bien que ce soit le cas (environ 86 % de la population active en 1975). C'est surtout une société dans laquelle l'ensemble ou presque de la population, y compris les non-actifs, bénéficie des protections qui avaient d'abord été progressivement attachées au salariat. C'est donc une société qui est parvenue dans une large mesure à surmonter la coupure propriétaires/non-propriétaires. La propriété privée subsiste, et elle continue à procurer ses avantages. Mais les non-propriétaires bénéficient désormais d'un minimum de garanties et de droits qui leur permettent de continuer à « faire société » avec leurs semblables, à être des individus à part entière. Le risque de l'anomie paraît jugulé parce que l'insécurité sociale permanente qui avait été le lot des non-propriétaires est en voie d'être dépassée par une sécurité sociale généralisée. Il peut certes subsister de grandes disparités entre propriétaires et non-propriétaires, et aussi entre les différentes strates du salariat, du « smicard » au cadre supérieur. Mais ces disparités sont inscrites dans un continuum, parce que tous participent à un même régime de protections.

C.H. – L'expression « sécurité sociale » prend ici tout son sens.

R.C. – C'est le fondement de ce qu'on appelle l'État-providence, expression que je n'aime pas beaucoup car l'État social intervient essentiellement comme garant de la sécurité. Ce que ne traduit pas du tout cette idée un peu molle d'« État-providence », comme si cet État était un distributeur de bienfaits, un pourvoyeur de richesses. Il est plutôt un réducteur de risques, c'est-à-dire le garant de la sécurité, et sa dynamique a été de réduire de plus en plus largement les risques sociaux. Il a commencé par s'attacher à réduire ces risques pour les gens les plus défavorisés, proches de l'indigence, menacés de basculer dans la misère et la déchéance. Mais il en est venu à couvrir l'ensemble de la population, à être le grand ordonnateur de ce que François Ewald a appelé une « société assurantielle[1] ». Autant la notion d'État-providence me paraît très équivoque car elle induit à penser le rôle de l'État comme une expansion de la charité, autant l'expression de société assurantielle traduit bien le fait que la technologie assurantielle a été l'instrumentalisation privilégiée (pas exclusive, mais vraiment privilégiée) pour aboutir à une réduction généralisée des risques. En ce sens l'expression de société assurantielle peut se défendre, même si tous les risques n'ont jamais été couverts et si d'autres formes d'intervention sociale différentes de l'assurance – telle l'assistance, appelée ensuite l'aide sociale – ont perduré.

Néanmoins c'est l'assurance qui non seu-

_____

1. François Ewald, *L'État-providence*, Paris, Grasset, 1985.

lement a été la couverture la plus générale des risques sociaux, mais qui a permis de donner la propriété sociale à des gens qui n'étaient pas des « cas sociaux », qui n'étaient ni des handicapés ni même des pauvres, mais qui au contraire sont devenus à peu près tout le monde, tous les salariés riches ou pauvres, puis pratiquement l'ensemble de la population. C'est bien l'assurance, me semble-t-il, qui a été le grand opérateur de la réhabilitation sociale des non-propriétaires en permettant à tout le monde, ou presque, de disposer de protections et de ressources minimales pour continuer à être intégré à la société. C'est la différence fondamentale entre l'assurance et l'assistance. Celle-ci concerne des publics ciblés qui sont en dehors du régime commun, alors que celle-là a une vocation universaliste. La preuve d'ailleurs c'est que lorsque l'on décroche aujourd'hui de l'assurance on a tendance à multiplier les populations-cibles qui bénéficient de secours particuliers. C'est la logique de ce qu'on appelle les minima sociaux. Mais les minima sociaux prolifèrent, pourrait-on dire, dans une faille des couvertures universalistes assurantielles, soit que celles-ci n'aient pas réussi à s'imposer complètement, soit, comme aujourd'hui, qu'elles soient remises en cause.

C.H. – Vous dites quelque chose qui me paraît juste à propos de la société salariale, et sur quoi j'aimerais revenir : l'acquis fondamental de la société salariale a consisté à construire un continuum de conditions sociales non pas égales mais comparables, c'est-à-dire compatibles entre elles et interdépendantes. Voilà qui soulève beaucoup de questions. Cela renvoie d'une part à tous ces débats sur l'égalité au XVIIIᵉ siècle (l'égalité en droit, l'égalité de fait) ; d'autre part au constat selon lequel, à partir du moment où il n'y avait pas d'égalité de fait, de situation, l'égalité en droit pouvait ne pas signifier grand-chose. Ce sont des questions qui n'ont cessé de se poser à propos de l'égalité[1]. Quand vous dites que cet acquis fondamental c'est de construire un continuum de conditions sociales non pas égales mais comparables, compatibles entre elles, qu'entendez-vous

---

1. Voir *L'Égalité des chances, op. cit.*

par là ? Voulez-vous dire que sans être similaires elles concernent des semblables, qu'elles respectent un certain nombre de conditions qui font que l'intégrité psychique, physique des individus n'est pas mise en cause ? Vous dites aussi que c'est la seule manière qui ait été trouvée pour actualiser l'idée théorisée sous la IIIe République d'une société de semblables, c'est-à-dire de démocratie moderne.

R.C. – Je crois que l'on peut dire en effet que la société salariale est un continuum de positions, et ajouter : un continuum *différencié* de positions. Il faut en effet remarquer que même pendant la période dite des Trente Glorieuses, les inégalités entre les différentes catégories sociales sont demeurées très fortes et n'ont guère été réduites. Ce qui s'est produit c'est une élévation générale des revenus et des conditions de vie, un peu comme lorsque des gens sont placés sur les différentes marches d'un escalator : tout le monde s'élève, mais la distance entre chacun reste à peu près constante. Cependant après la Seconde Guerre mondiale cette situation n'est pas figée. Chaque groupe défend ses intérêts, revendique, pense qu'il n'en a pas obtenu assez, mais peut aussi espérer que demain ou dans six mois il en obtiendra davantage. C'est la négociation conflictuelle entre les « partenaires sociaux » comme mode de gestion de la différenciation sociale. Mais cela suppose que les partenaires en concurrence appartiennent à un même ensemble. Les inégalités sont négociables parce qu'elles renvoient à des positions comparables entre elles. Ce n'est pas le cas dans tous les types de société. Il peut y avoir des différences énormes entre des individus et des groupes sans que les gens se pensent pour autant comme inégaux. Par exemple dans une société esclavagiste, ou même dans la société d'Ancien Régime, la différence des conditions est moins perçue comme inégale que comme définitivement incommensurable. Même aux débuts de l'industrialisation il ne serait sans doute jamais venu à l'esprit d'un prolétaire de comparer sa situation à celle de son patron, et réciproquement. Pour qu'il y ait conscience des inégalités il faut qu'il y ait *comparabilité* des situations, que les individus n'habitent pas dans des univers sociaux tout différents comme le maître et l'esclave, le seigneur et le serf, ou même le prolétaire et son patron. On conçoit donc que c'est dans la société salariale, qui permet une sorte de comparatisme généralisé des positions sociales, que la question des inégalités se pose d'une manière particulièrement aiguë. La société salariale est ainsi une société de semblables (continuum de positions), mais de semblables différents (continuum différencié).

C.H. – Je crois qu'il y a là un problème qui est lié également à la façon dont les inégalités sont perçues, appréciées, conçues, vécues, acceptées ou rejetées aujourd'hui dans les sociétés démocratiques ; elles sont éprouvées comme des injustices (au travers, entre autres, de la question des revendications identitaires). Et peut-être ce problème est-il aussi lié à une accentuation de l'uniformisation des conditions concomitante du déclin de la société salariale, mettant au jour une fausse uniformisation : celle-ci s'accompagne d'une précarité plus grande des conditions qui aboutit à un durcissement des positions.

R.C. – Peut-être y a-t-il aujourd'hui un durcissement des positions. Le schéma que je proposais avec l'image de l'escalator vaut surtout pour la période d'expansion de la société salariale, qui est entrée en crise dans les années 1970, et il faudrait le réactualiser avec le développement du chômage de masse et de la précarité. Mais s'il fallait le remettre complètement en question, cela signifierait que nous ne sommes plus dans le continuum différencié des positions de la société salariale, mais par exemple dans une société duale. Or je ne pense pas que ce soit le cas, du moins pas encore.

C.H. – Diriez-vous que cette question des inégalités ne se pose qu'à partir du moment où l'on y est sensible, étant vécues, ainsi que je le remarquais à l'instant, comme des injustices ?

R.C. – Oui, et l'on pourrait ajouter qu'on y est sensible à partir du moment où l'on a

conscience d'être à la fois semblable et différent, de sorte que les différences entre les
groupes sociaux ne sont pas des différences
de nature. C'est, me semble-t-il, la dynamique
qu'exprime la notion de distinction chez
Pierre Bourdieu. Elle fonctionne dans une
société où il y a des disparités sociales et où la
conflictualité sociale est dispersée autour de
ces disparités. De sorte que celui qui appartient à une catégorie salariale se pense à la
fois par rapport à celle qui est au-dessous de
lui, pour s'en distancier, et par rapport à celle
qui est au-dessus, en aspirant à s'en appro-
cher, à s'identifier à elle. C'est la dynamique
moderne des inégalités, qui suppose à la fois
différence entre les conditions et comparabilité des conditions entre elles. Une telle dynamique est impensable dans une société esclavagiste, ou dans une société féodale, ou dans
une société d'Ancien Régime – sauf dans certains secteurs très limités de ces sociétés,
comme la « société de cour » qu'a décrite
Norbert Elias pour l'Ancien Régime[1].

------

1. Norbert Elias, *La Société de cour*, Paris, Calmann-
Lévy, 1974.

En revanche elle est au cœur de la problématique de la responsabilité de l'individu moderne. Lorsque les inégalités étaient justifiées par le plan divin de la création, ou par la nature, ou par la tradition, l'individu ne pouvait être tenu pour responsable de la place subordonnée qu'il occupait puisque celle-ci dépendait de hiérarchies sociales immuables. Mais en posant le principe de l'égalité entre les individus, en particulier sous la forme de l'égalité des chances, les sociétés démocratiques *individualisent l'inégalité* : si le jeu est ouvert et que tout le monde peut concourir et être classé selon son mérite, l'échec est imputable à l'individu lui-même. Il en résulte que les inégalités peuvent être vécues non seulement comme des injustices (on ne m'a pas donné ma chance), mais plus douloureusement comme des situations traumatisantes pouvant conduire à se remettre soi-même en question (j'avais mes chances comme tout le monde, mais je n'ai pas su les saisir)[1]. L'atti-

---

1. L'illustration la plus claire de cette dynamique est l'expérience des inégalités scolaires telle que l'analyse François Dubet (voir F. Dubet et D. Marticelli, *À l'école. Sociologie de l'expérience scolaire*, Paris, Seuil, 1996, et

tude face aux inégalités représente ainsi une expérience sociale cruciale dans la société moderne, première formation sociale dans laquelle l'individu peut se voir attribuer la responsabilité de son destin, mais dans laquelle en même temps les déterminations objectives, l'argent, la naissance, les différentes sortes de « capitaux » au sens de Bourdieu continuent évidemment – et plus ou

---

Fr. Dubet, *Les Inégalités multipliées*, Paris, Éd. de l'Aube, 2001). L'école démocratique de masse abolit en principe le caractère structurellement inégalitaire du système scolaire qui faisait que les parcours scolaires étaient étroitement déterminés par la classe d'appartenance. Désormais les élèves ne sont plus sélectionnés à l'entrée du système, ils le sont donc en cours de route, en fonction de leurs performances. Même si ces performances continuent à dépendre dans une très large mesure de caractéristiques sociales l'échec devient imputable à l'individu parce que c'est effectivement lui qui n'a pas réussi, et non sa classe qui l'a exclu. Ce schème particulièrement clair en sociologie de l'éducation peut être transposé, comme on le verra, à d'autres secteurs de l'expérience sociale, et en particulier au travail : l'individu travailleur va pouvoir être tenu pour responsable de la réussite ou de l'échec de trajectoires professionnelles de plus en plus personnalisées, qu'il dispose ou non des supports nécessaires pour assurer ces parcours.

moins selon la place que l'on occupe dans la stratification sociale – à peser sur ce destin. On devra s'en souvenir lorsque l'on en viendra à envisager plus précisément les différentes configurations de l'individu contemporain : paradoxalement, l'exigence d'être responsable fragilise certaines catégories d'individus en leur faisant porter la faute de ce qu'ils subissent et qui pourtant échappe à leur emprise. Paradoxalement donc, le fait d'être tenu pour égaux creuse la différence entre ceux qui réussissent et ceux qui échouent. Ils restent comparables, mais à l'avantage des uns et au détriment des autres.

C.H. – C'est une question très intéressante, la comparabilité entre disparités. Elle suppose la conscience d'un écart, d'une distance qui permet aux individus de se comparer, de s'évaluer. Davantage sans doute qu'à Bourdieu, je me référerais à Dumont – et bien entendu à Mauss –, qui a su formuler les paradoxes se trouvant au cœur de cette question. Il me semble que Dumont voit le problème avec beaucoup de profondeur en en faisant une question anthropologique de fond[1]. Je crois cependant que c'est Marcuse qui formule l'ensemble avec le plus d'ampleur et de clarté quand il montre véritablement la nécessité de penser ces fonctionnements en termes transversaux pour élucider les fondements des sociétés démocratiques contemporaines : préciser la part du politique et du social dans le psychologique. Ce que tenteront aussi de faire Dumont et plus récemment Gauchet.

R.C. – J'estime néanmoins que Pierre Bourdieu a bien vu cette sorte de dialectique du même et de l'autre qui est au cœur du fonctionnement de la société salariale. Mais, avec ou sans Bourdieu, le point à souligner est le fait que les disparités puissent se penser sur la base d'un même ensemble, ce qui renvoie à la caractéristique essentielle de la société salariale, à savoir qu'elle est un continuum différencié de positions. Cela veut dire que dans

---

1. Louis Dumont, *Essais sur l'individualisme, op. cit.*, en particulier « La communauté anthropologique » et « La valeur chez les modernes et chez les autres ».

cette structure sociale le fossé ne doit pas être infranchissable, qu'il ne doit pas y avoir de coupure irrémédiable entre les différentes catégories sociales, et c'est ce que réalise pour l'essentiel la société salariale. Sans doute y a-t-il quelques groupes qui échappent vers le bas, par exemple ce qu'on appelle le « quart monde » ; et d'autre part il peut y avoir au sommet de la hiérarchie sociale quelques catégories qui sont hors du commun, comme les stars, les dirigeants de grandes entreprises ou les grands financiers, les champions sportifs, les top-models, etc. Mais entre les deux, c'est-à-dire pour l'immense majorité de la population, c'est ce continuum différencié qui pose d'une manière centrale la question de l'inégalité : les gens se comparent entre eux, se distinguent, s'envient ou se méprisent sur la base d'une condition commune.

C.H. – Il y a un ensemble de questions qui me semblent également intéressantes : celle de la différence, de la distinction difficile à élaborer entre le semblable et le similaire. Le semblable n'est pas le similaire : ce sont des questions qui relèvent fondamentalement, je pense, de l'anthropologie.

R.C. – C'est aussi une question essentielle pour la sociologie. On peut rappeler que cette expression de « société de semblables » est employée par Léon Bourgeois, c'est-à-dire qu'elle a été élaborée dans le cadre de cette idéologie solidariste de la IIIe République que j'ai déjà évoquée[1]. Il s'agit de fonder une société moderne en évitant deux écueils : d'une part le laisser-faire des libéraux qui acceptent d'immenses disparités de situation en ne se préoccupant pas de la question ouvrière ; d'autre part les différentes options du socialisme révolutionnaire qui prônent (ou sont interprétées comme prônant) une égalité absolue des conditions, c'est-à-dire une négation des différenciations sociales. Il s'agit pour Bourgeois – mais aussi pour Durkheim à travers sa conception de la solidarité organique – de tenir ensemble une exigence de différenciation, c'est-à-dire une certaine « dose » d'inégalités, et une exigence de soli-

_____

1. Voir Léon Bourgeois, *Solidarité*, Paris, 1896.

darité fondée sur une appartenance commune à la société. Même inégaux – et aux yeux de ces penseurs cette différenciation entre les individus et les groupes peut être légitime car elle est fondée sur les exigences de la division du travail –, les sujets sociaux doivent rester unis par des relations d'interdépendance et constituer ainsi une société de semblables.

Il me semble qu'il y a là un modèle qui traduit assez bien une exigence fondamentale, mais aussi une difficulté fondamentale au cœur d'une société moderne ou, en termes politiques, au cœur de la démocratie. Sauf à défendre une égalité absolue des conditions – ce qu'aucune société historique sans doute n'a réalisé –, il faut promouvoir ou conserver une « société de semblables », c'est-à-dire une société dans laquelle les inégalités ne rompent pas la commune appartenance à l'ensemble social. C'est en tout cas cette position qui me paraît inspirer la politique sociale que la IIIᵉ République commence à mettre en place (Léon Bourgeois a d'ailleurs été à la fois un penseur et un homme politique important). Par exemple il doit y avoir un droit au secours pour éviter que certaines catégories de démunis ne décrochent complètement. Il doit y avoir aussi un droit à la retraite pour que les salariés ne tombent pas dans la déchéance lorsqu'ils ne peuvent plus travailler. En termes contemporains on pourrait dire que ce sont des politiques de lutte contre l'exclusion, c'est-à-dire des politiques visant à maintenir une commune appartenance de tous les membres de la société pour constituer une société de semblables, et l'on voit bien qu'elles appellent une intervention de l'État.

C.H. – Peut-on finalement lier les travaux de Bourgeois sur la société de semblables et ceux de Fouillée sur la propriété sociale ?

R.C. – C'est tout à fait le même contexte, la même idéologie de la IIIᵉ République qui constitue la base du solidarisme. Cette position peut aujourd'hui paraître timide, mais le combat a été difficile car il a fallu imposer l'idée que l'État avait un droit d'intervention dans le domaine social contre les principes du libéralisme défendant l'idée d'une société régie par des contrats passés entre les individus. Ce n'est pas un hasard si Durkheim et la sociologie ont tenu une place prépondérante dans ce débat. Affirmer la prééminence de la société c'est poser que l'individu ne peut exister que dans un collectif, et qu'il a des droits et des devoirs envers le collectif représenté, dans les sociétés modernes, par l'État. C'est là le fondement de la notion d'un droit social, c'est-à-dire qu'en droit un individu peut demander une sorte de dû à la collectivité. Ce qu'il demande n'est pas de l'aumône, de la charité facultative, mais la contrepartie effective de son implication dans le travail collectif à travers lequel la société se constitue et se transforme.

C.H. – Au-delà de ce que le droit social fait qu'un individu peut demander des choses à la collectivité comme contrepartie de son implication dans le travail collectif, on pourrait dire aussi que cela relève des droits fondamentaux de l'homme.

R.C. – Sans doute peut-on dire qu'il s'agit de droits fondamentaux, mais alors il faudrait ajouter que ces droits fondamentaux ont mis bien du temps à émerger et à s'imposer. Il a fallu une longue élaboration théorique, à la fin du XIXᵉ siècle, pour imposer cette notion de droit social dont l'acceptation a été beaucoup plus tardive que celle des droits civiques et des droits politiques[1]. Les Assemblées révolutionnaires sont les premières à l'avoir envisagée à partir des travaux du Comité de mendicité sous la Constituante qui a posé le principe d'un droit au secours pour les indigents. Mais la Révolution n'a pas eu le temps de l'appliquer et l'on est vite revenu en arrière, aux principes libéraux qui sur ce point s'accordent avec les positions traditionnelles de l'Église catholique selon lesquelles ces redistributions en cas de malheur ou de misère extrême doivent demeurer de l'ordre du privé, c'est-à-dire de l'ordre de la charité, ou de la bienfaisance volontaire – ce que l'on appelle au XIXᵉ siècle la philanthropie. C'est pourquoi l'élaboration théorique d'auteurs comme

---

1. Sur cette succession droits civiques-droits politiques-droits sociaux, voir l'élaboration de T.H. Marshall, en particulier *Citizenship and Social Development*, Chicago, Chicago University Press, 1977, dont certains éléments peuvent être discutés, mais qui demeure exacte dans ses grandes lignes.

Fouillée, Durkheim, Bourgeois, etc., me paraît extrêmement importante, même si les résultats pratiques ont été dans un premier temps très limités. Ils ont créé la matrice d'un droit social et d'un mode d'intervention de l'État – l'État social – qui va se déployer dans la société salariale.

C.H. – D'une certaine façon il s'agit là d'un mode de compensation fondamental et général. Quand Mauss a élaboré son *Essai sur le don* – quoique son approche soit différente –, s'est-il référé, et de quelle manière, aux travaux de Bourgeois et de Fouillée ?

R.C. – On sait qu'il y avait des proximités profondes entre Mauss et Durkheim, et la notion de dette sociale a une grande importance pour tous ces penseurs. Elle permet de dépasser le point de vue de l'individualisme libéral en affirmant que l'homme en société entretient des relations essentielles avec le collectif. Cependant il me semble que la logique du don renvoie à un autre type de fonctionnement qui n'est pas central dans les sociétés modernes. Je sais bien que certains aujourd'hui veulent la réhabiliter (par exemple les travaux autour de la *Revue du MAUSS*). Mais ils expriment en cela leur méfiance ou leur prise de distance à l'égard de la modernité. En tout cas cette inspiration me paraît très différente de celle des penseurs que nous venons d'évoquer. Ceux-ci ne raisonnent pas en termes de don et de dette infinie, mais de droits et d'obligations légales garantis par l'État. C'est en quoi ils sont résolument modernes. Ce qui ne veut pas dire qu'il ne puisse exister, y compris dans les sociétés modernes, des mécanismes anthropologiques fondamentaux du type du don. Mais ce n'est pas dans cette direction que se sont développés le droit social, la protection sociale, la propriété sociale.

Ce n'est donc pas non plus dans cette direction que s'est construit le dépassement relatif de l'opposition propriétaire/non-propriétaire ou propriété/travail qui avait marqué le développement de la modernité. La propriété sociale entendue comme assurant, ainsi que le dit explicitement Alfred Fouillée, « un minimum de propriété[1] » a procuré à ceux qui étaient en dehors de la propriété privée, et en premier lieu aux travailleurs qui n'avaient d'autre propriété que leur travail, les ressources nécessaires pour commencer à exister par et pour eux-mêmes. Elle a ainsi permis la généralisation, ou la démocratisation, de la capacité d'être un individu susceptible de développer des stratégies personnelles parce qu'il est affranchi de la misère et de la dépendance. Lorsque ces protections s'épanouissent dans la société salariale l'opposition propriétaire/non-propriétaire n'est pas abolie (il n'y a eu ni collectivisation ni partage de la propriété). Mais les travailleurs devenus des

---

1. Alfred Fouillée, *La Propriété sociale et la démocratie*, *op. cit.*, p. 148. Le raisonnement d'ensemble dans lequel Fouillée présente cette forme originale de propriété mérite d'être cité : « L'État peut, sans violer la justice et au nom de la justice même, exiger des travailleurs un minimum de prévoyance et de garanties pour l'avenir, car ces garanties de capital humain qui sont elles-mêmes comme un minimum de propriété essentielle à tout citoyen vraiment libre et égal aux autres sont de plus en plus nécessaires pour éviter la formation d'une classe de prolétaires fatalement vouée soit à la servitude, soit à la rébellion. »

salariés protégés par le droit du travail et la protection sociale paraissent assurés contre les principaux risques sociaux et pourvus de ressources minimales pour maîtriser leur destin. La propriété privée n'est plus le seul support nécessaire pour exister positivement comme un individu. La propriété sociale, pourrait-on dire, permet aux non-propriétaires d'accéder à la propriété de soi, d'avoir cette capacité d'être propriétaires de leur personne – ce que Locke et la tradition de l'« individualisme possessif » réservaient, au moins implicitement, aux propriétaires privés. L'ombre portée de cette hégémonie de la propriété privée c'était la misère et l'indignité de la « classe non propriétaire » que la propriété sociale permet désormais de dissoudre.

III

Individus par défaut

C.H. – Exister positivement par et pour soi-
même signifie-t-il exister économiquement
et, en conséquence, socialement? Iriez-vous
jusqu'à dire que la propriété privée comme la
propriété sociale qui peut pallier son absence,
s'y substituer ou à tout le moins la renforcer,
assure au propriétaire la propriété de soi?

À votre avis ces questions se posent-elles
aujourd'hui dans des termes analogues? Ou
bien se voient-elles reformulées dans des
termes qui en redistribueraient fondamentalement le mode de fonctionnement? La précarité dans la situation contemporaine amène-
t-elle à reconsidérer le sens que l'on peut
donner à la propriété sociale, au fait d'être
« propriétaire de soi-même »? Il serait intéressant d'essayer de développer quelque peu

ce que cela implique, aussi bien quant au fond que sur le plan concret.

R.C. – Pour répondre à cette question il faudrait tirer toutes les conséquences d'un paradoxe : pour les non-propriétaires l'accès à la propriété de soi a été rendu possible par leur inscription dans des collectifs qui les ont faits sujets de droits et bénéficiaires d'assurances générales. On comprend alors que l'ébranlement, et à la limite l'effondrement de ces appartenances collectives puissent compromettre, et à la limite invalider, cet accomplissement de l'individu moderne. Le paradoxe c'est qu'une décollectivisation, ou une réindividualisation, puissent avoir des conséquences destructrices pour l'individu. Mais ce paradoxe est à l'œuvre à travers les transformations actuelles de la société salariale. Il me semble que l'on peut largement interpréter les changements qui affectent cette formation sociale depuis le milieu des années 1970 comme une précarisation des appartenances collectives, ou encore comme une fragilisation des catégories homogènes qui constituaient la société salariale. S'il s'est produit quelque chose d'inédit depuis vingt-cinq ans – depuis ce que l'on appelle plus ou moins improprement « la crise » –, c'est à mon avis le développement d'un nouveau processus d'individualisation qui remet en question les appartenances collectives des individus. C'est la condition même des individus – ou du moins de ces individus qui avaient acquis leur consistance grâce à la propriété sociale – qui risque alors d'être remise en question.

C.H. – Vous dites que c'est quelque chose d'inédit et en conséquence de difficile à penser cette espèce de cassage vis-à-vis du collectif. La précarisation traverse, remet en question les catégories. Vous parlez de catégories non homogènes : peut-être faut-il alors s'efforcer de repenser les catégories, d'en formuler de nouvelles.

R.C. – En tout cas il faut apporter au moins trois précisions pour caractériser la spécificité de la situation actuelle. Premièrement, si j'ai parlé de quelque chose d'« inédit » qui serait actuellement à l'œuvre, il ne s'agit pas d'un phénomène qui serait nouveau en soi, mais qui est nouveau par rapport aux systèmes de protections que l'on a évoqués précédemment – lesquels avaient commencé à se développer depuis la fin du XIXe siècle, mais n'avaient pris toute leur consistance que dans les années suivant la Seconde Guerre mondiale, jusqu'au début des années 1970. Mais il ne faut pas oublier qu'avant cette période la précarité était une constante de la condition des non-propriétaires. Il faut donc distinguer soigneusement entre la précarité d'après les protections et la précarité d'avant les protections.

C.H. – La précarité d'avant les protections et d'après les protections : c'est là une élégante formule théorique.

R.C. – En tout cas cette distinction me paraît essentielle pour comprendre ce qu'il y a d'inédit dans la situation actuelle : ce n'est pas l'avènement de la précarité en tant que telle mais d'une forme nouvelle de précarité qui s'installe après la mise en place de régimes de protection qui avaient jugulé la précarité antérieure.

Mais il faut apporter une deuxième précision. La précarité antérieure aux protections
de la société salariale n'était pas totale car
elle était dans une certaine mesure compen-
sée par d'autres protections. Certes il ne faut
pas mythifier la solidarité dans les sociétés
pré-industrielles, le poids des assises rurales,
l'importance des prises en charge que
peuvent dispenser le voisinage ou la famille
sans le recours des protections procurées par
l'État social. Néanmoins, pour prendre un
exemple qui n'est pas tellement éloigné de
nous, la crise des années 1930 a été, comme
on le sait, une crise économique très sévère.
Or il n'y a eu en France « que » – si j'ose dire
– environ un million de chômeurs. C'est-à-
dire que, par rapport aux plus de trois mil-
lions de chômeurs de ces dernières années, la
société des années 1930 s'est mieux défen-
due. Elle était plus proche de ses bases
rurales, avec des formes de division du travail moins sophistiquées. Cette société était
moins urbanisée, moins industrialisée, moins
« moderne » en somme, de sorte que, par
exemple, un certain nombre de salariés ont
pu se reconvertir, ou du moins se replier sur

des formes d'activité de type artisanal. Ils ont pu aussi mobiliser des « protections rapprochées » plus fortes, familiales ou de voisinage. Aujourd'hui, ces dimensions de *Gemeinschaft*, si elles n'ont pas complètement disparu, sont très affaiblies. Les protections les plus conséquentes se font par des médiations institutionnelles et dépendent de l'État. Ainsi dans l'ébranlement actuel, non seulement on perd les protections qui avaient été construites par l'État, mais on dispose de peu de positions de repli pour faire face à ces nouvelles carences. Ces deux constats vont dans le même sens et il faut les additionner pour apprécier le caractère inédit de la situation actuelle.

Mais il faut encore ajouter à cela une troisième précision. Cette précarité d'après les protections que nous vivons aujourd'hui est tout de même encore entourée, traversée de protections. Il faut se méfier d'un discours catastrophiste oubliant qu'actuellement, par exemple, la Sécurité sociale couvre toujours plus de 99 % de la population française, qu'il y a toujours un droit du travail – même s'il est souvent contourné – et que l'État social, quoique contesté, est loin d'être moribond[1]. On peut certes discuter l'efficacité des politiques d'insertion ou de traitement social du chômage, critiquer l'insuffisance des minima sociaux, etc. Mais on ne peut nier que, comparativement à la situation d'avant les protections montées par l'État social, nous vivons dans une société encore entourée et traversée de protections.

C.H. – C'est vrai mais je crois important de ne pas se limiter aux observations sur les rapports structurels existant entre précarité d'avant et d'après les protections pour prendre en compte les effets nés de cette précarité d'après les protections, celle que nous connaissons aujourd'hui. Il faut ainsi noter que le droit du travail depuis le milieu des années 1970 a été considérablement mis à

---

1. On peut même défendre la thèse que les protections ménagées par l'État continuent de s'étendre : le Revenu minimum d'insertion touche des populations qui pour une part n'avaient jamais été prises en charge, la Couverture maladie universelle universalise effectivement la couverture-santé à la totalité de la population résidant sur le territoire français...

mal. Les contrats de travail spécifiques où les individus sont de moins en moins garantis, avec des niveaux de protection très inégaux, où il n'y a parfois plus de couverture, se sont multipliés. Voilà qui est peut-être moins visible – l'opinion publique y est peut-être moins sensible – que le déficit et la mise en cause de la Sécurité sociale...

R.C. – Je suis tout à fait d'accord, et c'est un point sur lequel j'ai toujours beaucoup insisté en parlant de l'« effritement » des protections de la société salariale – « effritement » signifiant fragilisation, mais non disparition. Il ne s'agit pas de nier l'importance des dérégulations du travail, des menaces sur la Sécurité sociale, de la remise en cause du rôle protecteur de l'État dans différents domaines, etc. Ce que je conteste ce sont les extrapolations unilatérales du type « Tout fout le camp » qui ont fait le succès d'ouvrages comme *L'Horreur économique* de Viviane Forrester par exemple[1]. De même les fantai-

---

1. Viviane Forrester, *L'Horreur économique*, Paris, Fayard, 1996.

114

sies récentes sur la disparition du salariat, voire sur la fin du travail. Il s'agit d'interprétations unilatérales d'une conjoncture complexe qui comporte des éléments contrastés, voire contradictoires. On observe des mutations considérables qui remettent en question la forme de « compromis social » qui a culminé au début des années 1970, mais aussi des permanences qui font que, en Europe occidentale du moins, la société n'est pas comme une cire molle perméable à toutes les injonctions du marché.

C.H. – Ne pensez-vous pas qu'à certains égards la situation contemporaine relève de ce que Durkheim avait appelé anomie ?

R.C. – Oui, et c'est ce qui fait le lien avec la question de l'individu. Je pense qu'en parlant d'anomie Durkheim a bien perçu le risque de dissociation qui pèse sur les sociétés modernes et qui est une forme de dynamique de désaffiliation renvoyant en premier lieu à des dysfonctionnements de l'organisation du travail. L'anomie à la fin du XIXe siècle, ou ce que j'ai proposé d'appeler aujourd'hui la désaffiliation, nomment des situations de décrochage. Cela signifie que les individus ne sont plus inscrits dans des régulations collectives, qu'ils ont perdu leurs assises ou leurs supports et qu'ils se mettent à flotter parce qu'ils n'ont plus de repères. Durkheim a perçu ce danger au moment de l'installation de la société industrielle. Aujourd'hui il prend évidemment une autre configuration dans le cadre de l'ébranlement de la société salariale. Mais on pourrait dire que la situation des individus anomiques, ou désaffiliés, est homologue dans les deux cas. De même que l'anomie durkheimienne était dans une large mesure produite par les dysfonctionnements d'une division du travail devenue de plus en plus sophistiquée, aujourd'hui, en partant d'une réflexion sur les fonctions intégratives du travail par l'intermédiaire de la propriété sociale, on aboutit à l'individu par désaffiliation ou par décrochage qui apparaît comme le dernier avatar d'une séquence d'histoire ayant commencé au xixe siècle. Car comment les travailleurs non propriétaires ont-ils pu accéder au statut d'individus ? On l'a dit, c'est paradoxalement en s'inscrivant dans des systèmes de régulations collectives qui leur ont fourni le socle nécessaire pour exister pour eux-mêmes. Avec ce que l'on peut appeler, pour aller vite, la « crise » de la société salariale, depuis vingt-cinq ans ces supports collectifs se fragilisent. Ils n'ont pas complètement disparu, mais ils sont ébranlés ; ces liens se distendent et laissent échapper un certain nombre d'individus qui ne sont plus couverts par ces systèmes collectifs et qui donc se retrouvent *individus par défaut*. Je crois que c'est là une forme nouvelle d'individualité « négative », ou du moins hyper-problématique, dont la filiation passe par la construction de la propriété sociale et par l'inscription dans les collectifs, puis par le décrochage par rapport à ces collectifs. On pourrait ajouter une forme complémentaire d'individus par défaut : tous ceux qui sont désormais incapables de s'inscrire dans des collectifs protecteurs, tels les jeunes qui ne peuvent se ménager une place stable dans la société et qui « galèrent ».

117

C.H. – Revenons sur le caractère problématique des façons d'exister comme individu.

R.C. – Pour résumer très schématiquement mon hypothèse je crois qu'il y a au moins deux manières d'être un individu. En général on ne pense qu'à l'une d'entre elles : la forme positive de l'individu comme valeur de référence des sociétés démocratiques. Certes on convient assez facilement qu'il est problématique de réaliser concrètement cet idéal politique d'une société d'individus. Ce sont toutes les apories de la démocratie, et il y a sur ce sujet toute une littérature extrêmement intéressante – je songe en particulier aux travaux de Claude Lefort ou de Pierre Rosanvallon[1]. Mais ces difficultés ne remettent pas en cause la valeur de l'individu et sa positivité intrinsèque. En revanche, on conviendra peut-être moins facilement que ce soit le fait même d'être un individu qui pose problème et peut

---

1. Claude Lefort, *L'Invention démocratique*, Paris, Fayard, 1981 ; Pierre Rosanvallon, *La Démocratie inachevée*, Paris, Gallimard, 2000.

être vécu à la limite négativement. Mais prenons l'exemple du chômage. Je dirais que le chômage individualise négativement le chômeur. Avant de perdre son emploi le chômeur pouvait être positivement un individu, essentiellement parce qu'il disposait de droits sociaux et de protections collectives. Mais maintenant qu'il est laissé sur la touche c'est beaucoup plus difficile de jouer le jeu de l'individualité. Je ne sais plus qui a dit que c'était un métier d'être chômeur, et un dur métier. Il faut se mobiliser, lire les petites annonces, subir les entretiens d'embauche... Il faut aussi souvent faire des choix difficiles entre, par exemple, accepter ou non tel travail qui vous est proposé et qui est moins bien payé, moins intéressant que celui que l'on a perdu : dois-je accepter ce déclassement ? Mais si je refuse aujourd'hui cet emploi, vais-je en trouver un autre qui sera plus satisfaisant dans un délai raisonnable ? Ne vais-je pas devenir un chômeur de longue durée et plonger définitivement ? Voilà des façons d'exister comme individu qui sont plus que problématiques, et à la limite négatives, et qui contrastent avec la possibilité de prendre soi-même des initiatives et de conduire sa vie avec un minimum d'autonomie.

C.H. – Il s'agit là plutôt de façons d'« inexister ». Songeons à ceux qui sont en fin de droits et à ceux qui sont sans aucune protection pendant des mois, qui se détériorent complètement parce qu'ils n'arrivent plus à penser, à avoir une confiance minimale en eux.

R.C. – Tout à fait. C'est à partir d'expériences de ce genre que j'avance qu'il y a deux profils très hétérogènes et à la limite opposés d'individus, avec évidemment des figures intermédiaires. C'est une manière de problématiser la notion d'individu à partir de l'attention que l'on porte aux conditions nécessaires pour le devenir. On peut devenir positivement un individu en acquérant une surface, une assise, de la consistance, en s'appuyant sur un certain nombre de biens, ou sur un certain nombre de droits. Ou bien on peut le devenir par décrochage par rapport à ces assises, par défaut. Mais c'est alors une tout autre façon d'exister comme individu.

C.H. – Diriez-vous que l'individu sans protections n'est pas un individu?

R.C. – Non, pas exactement. Les individus sans protections sont aussi des individus et ils vivent cette situation comme des individus, ne serait-ce qu'à travers la souffrance d'être dans cet état. Mais d'un autre point de vue, on pourrait dire qu'ils sont *moins* des individus au sens de pouvoir développer des stratégies personnelles, d'avoir par eux-mêmes et pour eux-mêmes des marges de manœuvre. Cela conduit, une nouvelle fois, à dire qu'il y a des manières très différentes – et, à la limite, irréductiblement différentes – d'être un individu, et qu'en conséquence le fait d'être un individu n'est pas toujours connoté positivement.

En principe être un individu c'est pouvoir être tenu pour responsable de ses actes, et à la limite de la réussite ou de l'échec de sa vie. À peu près tout le monde conviendra que c'est là un très bel idéal, et peut-être même l'idéal fondateur de la modernité. Mais comme on l'a déjà évoqué à propos de la question des inégalités, cette exigence d'être responsable peut fonctionner comme un piège si l'on manque des supports nécessaires pour jouer un tel jeu. Actuellement il me semble que ce piège se referme sur certains à travers la nouvelle économie des relations de travail qui se met en place. On demande de plus en plus aux travailleurs (aux « opérateurs » comme on dit aujourd'hui), de prendre leurs responsabilités, de s'investir personnellement, de se faire disponibles, adaptables, mobiles, etc. Il est indéniable que ces nouvelles règles peuvent dégager des capacités d'initiatives et permettre des réalisations valorisantes en libérant de carcans qui pouvaient être très rigides, comme dans l'organisation taylorienne du travail par exemple. Mais *pour qui et à quelles conditions*? Tout le monde ne peut être créateur de *start up*, et d'ailleurs parmi les créateurs de *start up* il y a aussi des perdants et des paumés. Il y a des gagnants, mais également beaucoup de perdants au jeu des recompositions en cours et l'exigence généralisée d'individualisations des tâches, des performances, des carrières reclive deux manières contraires de se retrouver un individu, comme aux temps de l'opposition entre propriétaires et non-propriétaires. Cependant la question de fond ne se réduit pas aux oppositions abstraites des discours managériaux et entrepenariaux entre innovation et routine, goût du risque et repli frileux sur les protections, esprit d'initiative et obsession de la sécurité. Elle tient au fait que les individus qui ont à affronter les transformations actuelles sont différemment configurés face aux règles du jeu social – beaucoup moins en raison de différences de nature que de différences dans les ressources dont ils disposent pour mener le jeu ou pour être menés par lui. S'il est vrai que pour beaucoup ces ressources pour se conduire comme des individus responsables étaient tirées de leur participation à des protections collectives, il est normal que la perte de ces supports se paie de leur incapacité à surmonter ces situations comme des individus à part entière. Du moins dans un premier temps. Il n'est pas dit en effet que ces supports de la propriété sociale étaient installés sous cette forme pour l'éternité. Mais si on les démantèle sans qu'ils soient remplacés par d'autres supports dotés d'une fonction analogue on ne pourra qu'assister à une prolifération d'individus par défaut.

C.H. – Vous formulez des questions très générales qui vont, me semble-t-il, bien au-delà de la sociologie. Vos analyses sont proches parfois de celles de Marcel Gauchet. Si l'on reprend en effet l'hypothèse que propose Gauchet – conjecturale, il le dit lui-même – d'une scansion allant de l'idée de personnalité traditionnelle à celle de personnalité moderne et ultra-moderne[1], comment rester à l'intérieur des cadres d'une sociologie relativement classique – ce que vous tentez de faire – quand on se trouve face à des bouleversements qui affectent sans doute en profondeur l'individu? N'est-on pas amené à repenser les cadres et les catégories mêmes d'analyse? À essayer d'avancer dans une perspective plus transdisciplinaire, s'inscrivant dans la longue durée, à s'efforcer de mettre au jour des éléments d'une sociologie plus qualitative que quantitative (je pense ici aux travaux de Georg Simmel auxquels on s'est référé plus haut), à s'attacher à la qualifi-

1. Marcel Gauchet, « Essai de psychologie contemporaine. Un nouvel âge de la personnalité », *Le Débat*, n° 99, mars-avril 1998.

cation des comportements dans les interactions individuelles – ce que sont amenées à faire par exemple les législations en matière de « harcèlement », qui entreprennent aujourd'hui de « qualifier » des comportements qui ne l'ont pas été jusqu'à présent ? Ou encore, comme le dit Louis Dumont dans une « étude comparative de l'idéologie moderne », à expliciter l'inexprimé, « à amener au jour le sujet implicite de nombreux prédicats patents [1] » ?

R.C. – Tenter de penser, comme vous le proposez, les bouleversements qui affectent les individus en profondeur n'est pas nécessairement sortir du cadre de la sociologie, en tout cas d'une certaine sociologie qui veut être attentive aux transformations profondes, voire aux mutations de la société. C'est un peu ce que j'entreprends en essayant de suivre les transformations des supports de l'individu. Il ne s'agit pas du tout d'une conception évolutionniste du changement. Ainsi, le passage

------

1. Louis Dumont, *Essais sur l'individualisme, op. cit.*, p. 29.

du support propriété privée au support propriété sociale est un changement fondamental
qui oblige à repenser la relation de l'individu
et de ses supports. De même aujourd'hui nous
avons à essayer de penser une mutation du
rapport travail-protections qu'avait instauré la
société salariale.

Pour ce qui est de la tripartition proposée
par Marcel Gauchet, elle me paraît très signi-
ficative et aller dans le sens de ce que j'essaie
d'élaborer. Mais j'insiste de surcroît sur le fait
qu'à ces trois structures de personnalité pro-
posées par Gauchet correspondent trois types
tout à fait différents de supports sur lesquels
peut s'édifier une personnalité, ou trois
manières différentes à partir desquelles l'individu peut se structurer. Ce que Gauchet
appelle la personnalité traditionnelle renvoie
au type de société que Dumont qualifiait
d'« holiste ». Cette personnalité, dit Gauchet,
incorporc ct cxprime directement les normes
collectives. C'est pourquoi il est aventureux
de parler à son propos d'individu proprement
dit, puisque celui-ci s'identifie aux normes
collectives de son groupe et qu'il exprime
directement son statut social. Le socle de cet

individu d'avant l'individualisme, c'est son appartenance statutaire dans une société dont les statuts sont hiérarchisés. Cet « individu » n'est pas identifié et valorisé pour lui-même. Tocqueville dit ainsi à propos de l'Ancien Régime : « Nos pères n'avaient pas le mot "individualisme", que nous avons forgé pour notre usage, parce que de leur temps il n'y avait pas en effet d'individu qui n'appartînt à un groupe et qui pût se considérer absolument seul[1]. »

La modernité, dit Gauchet, promeut l'individu proprement dit, responsable de ses actes et assumant « librement » ses engagements, dont la figure politique est le citoyen et le modèle social, du moins dans un premier temps, est le bourgeois. Mais j'ajouterai que cette promotion est liée au passage du support statutaire au support propriété qui devient (Locke) le socle donnant sa consistance à l'individu moderne lorsqu'il n'est plus encastré dans des rôles assignés. La propriété privée, puis la propriété sociale. Je pense en effet

---

1. Alexis de Tocqueville, *L'Ancien Régime et la Révolution*, Paris, Gallimard, p. 158.

que l'implication de l'État social a élargi l'assise qui a permis aux non-propriétaires, et pas seulement aux « bourgeois », d'être des individus responsables. La propriété sociale a permis l'élargissement, ou la démocratisation, de la conception moderne de l'individu accédant à la propriété de soi. La société salariale est largement une « société d'individus », au sens où l'entend Norbert Elias[1], c'est-à-dire une société dans laquelle la majorité des sujets sociaux sont valorisés pour eux-mêmes et dotés de la capacité d'agir par eux-mêmes, du moins au niveau des principes.

Mais on peut constater également que de nombreux individus contemporains, que Gauchet nomme « hyper-modernes », ne s'inscrivent plus dans cette thématique de la responsabilité. Ils se désengagent, ou sont désengagés, de leurs appartenances collectives et se mettent à cultiver leur propre moi. Pour nombre d'entre eux on pourrait parler d'individus hypertrophiés parce qu'ils ne se définissent plus et ne se conduisent plus en

---

1. Norbert Elias, *La Société des individus*, Paris, Fayard, 1991.

fonction de références externes. Je me demande cependant si tous les individus « hyper-modernes » peuvent se rattacher à cette configuration que l'on peut qualifier, pour aller vite, de narcissique. À côté de cet individu par excès, je pose la question de l'existence d'un individu *par défaut* – défaut de ressources et de supports. Il ne se caractérise pas par une absence d'investissements extérieurs. Ainsi, par exemple, si le chômeur de longue durée ou le jeune en quête d'emploi avaient de l'argent ils sauraient bien quoi en faire, ils ont envie de consommer, etc. Leur drame n'est pas de manquer d'objectifs mais de moyens pour les réaliser ; c'est d'être délestés de supports qui leur permettraient de s'affirmer positivement comme des individus.

C.H. – Marcel Gauchet dit quelque chose d'intéressant qui me semble lié à la façon dont vous étudiez les processus de désaffiliation. Il évoque ainsi la caractéristique fondamentale de la personnalité contemporaine : « L'individu contemporain aurait en propre d'être le premier individu à vivre en ignorant qu'il vit en société, le premier individu à pou-

voir se permettre, de par l'évolution même de
la société, d'ignorer qu'il est en société. » Ce
qui me paraît très important c'est que cet
individu ignore la précédence du social :
« L'individu contemporain, ce serait l'individu
déconnecté symboliquement et cognitivement
du point de vue du tout, l'individu pour lequel
il n'y a plus de sens à se placer au point de
vue de l'ensemble[1]. » Tout cela renvoie à des
dysfonctionnements sociaux majeurs, modes
de fonctionnement profondément patholo-
giques, processus de déréalisation de l'autre et
du social. Il y a tout un ensemble de traits qui
définissent cet individu moderne : l'adhérence
à soi, des formes d'enfermement, de rapport à
soi marqués par des types de narcissisme
extrêmes, les stratégies d'évitement,
l'inconsistance... Qu'on le dise d'une façon
ou d'une autre – plus psychologique ou plus
sociologique –, on arrive à la même idée de
fonctionnements, de mécanismes individuels
inconsistants, qui évoquent les traits de caractère et de comportement de l'« homme de

---

1. Marcel Gauchet, « Essai de psychologie contemporaine. Un nouvel âge de la personnalité », *op. cit.*, p. 177.

masse » tels que les a décrits Hannah Arendt en particulier.

R.C. – Je suis tout à fait d'accord avec cette analyse. Cependant je me demande si c'est un unique processus qui conduit à cette configuration d'individu contemporain. Il y a eu une montée de cet individualisme qui prend aujourd'hui ces formes extrêmes et dont il est possible de faire maintenant le bilan. Je m'y étais moi-même essayé lorsque je travaillais sur le « psy », la psychiatrie, la psychanalyse, la diffusion d'une culture psychologique généralisée. Le constat que l'on pouvait faire était, à partir de la vulgarisation de la psychanalyse, la diffusion d'une attention exclusive à soi qui se fait au détriment des investissements sociaux et politiques. J'avais parlé à ce propos d'une « a-sociale sociabilité » pour nommer un type d'échanges sociaux qui n'a plus de social que le nom puisqu'il se réduit à des investissements psychologiques. On a bien déjà là les caractéristiques essentielles de l'individu hypertrophié contemporain, à cette différence près peut-être que j'avais été très sensible à l'appétit de contact avec l'autre qui continuait alors à sous-tendre ces attitudes et faisait qu'il s'agissait davantage d'une culture relationnelle que d'une culture narcissique à proprement parler.

Les travaux de Lasch, de Sennett, puis de Lipovetsky et récemment d'Ehrenberg s'inscrivent dans cette lignée et en développent les dernières implications, car ce mouvement n'a fait que s'accuser depuis[1]. Il me semble que Marcel Gauchet synthétise excellemment tout ce processus. Cependant la question est de savoir si ce que j'ai proposé d'appeler la désaffiliation continue ce même processus ou en représente une bifurcation inédite. Les individus désaffiliés ont décroché, les individus « hyper-modernes » ne se sentent plus attachés. Est-ce la même chose ?

---

1. Robert Castel, *La Gestion des risques*, Paris, Minuit, 1981 ; Christopher Lasch, *The Culture of Narcissism*, New York, Norton and Company, 1979 ; Richard Sennett, *The Fall of Public Man*, New York, Vintage Books, 1974 ; Gilles Lipovetsky, *L'Ère du vide*, Paris, Gallimard, 1985 ; Alain Ehrenberg, *La Fatigue d'être soi*, Paris, Odile Jacob, 1998.

C.H. – Ils ne sont plus structurés par le social de la même façon qu'auparavant. C'est la notion même de social qui aurait tendance à s'effacer. Il ne ressentirait plus le social comme une instance, une sphère extérieure à lui, à laquelle il devrait se référer et s'identifier sous différents termes : l'usage, la tradition. Il ne distingue plus clairement le social, le collectif, des devoirs à l'endroit des autres, une frontière entre lui qui serait au centre et le social auquel se conformer sur certains points, auquel s'opposer ou du moins se démarquer, se différencier.

R.C. – Mais une telle manière d'être détaché ou de se détacher du social, est-ce la même chose que d'être décroché ? Ne pourrait-on pas dire que celui qui a décroché ou qui a été décroché – j'ai pris tout à l'heure l'exemple du chômeur de longue durée – est un individu par défaut d'appartenances, tandis que l'individu qui n'adhère plus à rien serait un individu par excès de subjectivité, un individu que l'excès d'investissement de lui-même détacherait du social ? Sans doute faudrait-il analyser la manière dont ces situations sont vécues. Dans les deux cas il y a insatisfaction, malaise. Mais il me semble que l'individu par défaut est insatisfait parce qu'il ne trouve pas en dehors de lui ce qu'il voudrait obtenir (par exemple du travail, des revenus, des opportunités de sortir de son marasme), tandis que l'individu par excès est insatisfait parce qu'il est « fatigué de lui-même », comme dirait Ehrenberg, et ne se sent plus d'intérêts qui lui soient extérieurs[1].

C.H. – Je vais regretter, paradoxalement, le caractère psychologisant de votre explication. Pourquoi cet individu serait-il fatigué de lui-même ? De quelle façon ? Je crois qu'il est important de revenir à la question du malaise, de s'arrêter sur le fait de savoir si ce malaise tient aux facteurs, aux origines, aux causes jadis mis en avant par Freud, retravaillés ensuite par Taylor et Enriquez, ou s'il tient à d'autres raisons. Vous vous attachez à la situation de décrochage, de désaffiliation. J'ai l'impression que Gauchet, lui, discerne quel-

---

1. Alain Ehrenberg, *La Fatigue d'être soi, op. cit.*

que chose d'hypothétique qui a de l'ampleur, une espèce de mouvement de fond, qui invite à réinscrire un ensemble de travaux – dont les vôtres – dans une perspective plus vaste et sans doute plus conjecturale, moins assurée. En réalité, vos deux regards, vos deux approches me semblent complémentaires.

R.C. – L'expression « fatigué d'être soi » n'est pas de moi, mais d'Alain Ehrenberg. Toutefois je trouve qu'elle fait image et qu'elle n'est pas nécessairement psychologisante, mais sociologisable. Et je ne pense pas non plus que l'approche que je mets en avant soit contradictoire avec celle que propose Gauchet – elle me paraît plutôt assez proche, y compris dans la manière de mobiliser l'histoire pour tenter de rendre compte du présent.

C.H. – Je crois que vous-même travaillez sur des situations extrêmes qui sont beaucoup plus proches de situations d'urgence ; vous décrivez des parcours. Gauchet tente, lui, de retracer le parcours des individus en société dans la longue durée ; enfin – comment dire ? –, il pressent quelque chose de général, rappelant en cela la façon dont Tocqueville pressentait la condition des individus dans les sociétés démocratiques individualistes.

R.C. – Je m'efforce également de rattacher ces situations extrêmes à des processus de longue durée. Ainsi l'apparition de l'individu désaffilié moderne se place-t-elle aussi à l'aboutissement d'un long parcours historique que je me suis efforcé de reconstituer, et qui passe par la construction de la propriété sociale, le développement de l'État social et leur ébranlement actuel. L'individu hyper-moderne selon Gauchet se place aussi à l'aboutissement d'un long processus histo-rique qui est certainement dans une large mesure le même, mais il faudrait peut-être ajouter qu'il aboutit à deux « produits » dif-férents, à deux profils contrastés d'individu. En ce qui me concerne je suis particulière-ment sensible à une bifurcation qui est inter-venue dans ce processus et qui n'était guère perceptible jusqu'à il y a peu, y compris lorsque je travaillais moi-même dans les années 1970 sur la généralisation de la culture psychologique et l'inflation d'individualisme qu'elle véhiculait. Mais la bifurcation nouvelle est apparue avec la « crise » et on a commencé à pouvoir la prendre vraiment en compte à partir des années 1980. Il y aurait ainsi un *différentiel de nouveauté* qui s'est accroché à la problématique de l'individu contemporain avec la déstabilisation de la société salariale. Jusqu'à la fin des années 1970 on pouvait penser – et je croyais également – que le processus d'individualisation était univoque et conduisait à hypertrophier toujours davantage l'individu. Cette dynamique se prolonge encore aujourd'hui. Mais ne s'est-elle pas clivée, donnant naissance à une tendance qui renverse la tradition de l'« individualisme possessif » remontant à Hobbes et à Locke pour donner désormais naissance à des individus dépossédés (désaffiliés)[1] ?

C.H. – Gauchet décrit des comportements de masse et, au travers de ceux-ci, une crise

_____

1. Sur la logique conceptuelle de ce renversement, voir Étienne Balibar, « Le renversement de l'individualisme possessif », communication à la décade de Cerisy, *La Propriété*, juillet 1999.

des valeurs qui apparaissent aujourd'hui dans une généalogie ou une une anthropologie de la modernité. Mais, fondamentalement, je crois que ce sont des choses proches de ce que vous appelez désaffiliation ou encore déconnexion économique et sociale. Il s'attache, me semble-t-il, davantage qu'à l'économique, à l'ensemble des conditions et des effets de la désaffiliation. Ce n'est pas les petits bourgeois fatigués, c'est beaucoup plus que cela. C'est quelque chose que je crois important, qui concerne le rapport à soi, cette espèce d'isolement de chacun dans le social. On songe à Tocqueville, et plus récemment à Riesman[1]. La conclusion du *Désenchantement du monde,* cette histoire politique de la religion, me semble profondément éclairante pour saisir dans la longue durée et de façon générale les processus dont nous parlons. Gauchet écrit en effet, s'efforçant de penser la question du religieux après la religion : « Le déclin de la religion se paie en difficulté d'être soi. La société d'après la religion est

_____

1. David Riesman, *The Lonely Crowd*, Yale University Press, 1989.

aussi la société où la question de la folie et du trouble intime de chacun prend un développement sans précédent. Parce que c'est une société psychiquement épuisante pour les individus, où rien ne les secourt ni ne les appuie plus face à la question qui leur est retournée de toutes parts en permanence : pourquoi moi ? [...] Nous sommes voués à vivre désormais et dans l'angoisse ce qui nous fut plus ou moins épargné depuis le début de l'aventure humaine par la grâce des dieux[1]. »

R.C. – Je trouve également ce développement de Gauchet très beau et très éclairant, mais la question demeure de savoir si cette sorte de mutation anthropologique qui caractérise l'individu moderne – si mutation il y a, mais c'est l'hypothèse de Gauchet, et je la reprendrais volontiers à mon compte – a des effets univoques. Comment comprendre cet « isolement de chacun dans le social », et s'agit-il du même isolement lorsque l'on parle de l'« individu par excès » ou de l'individu

---

1. Marcel Gauchet, *Le Désenchantement du monde*, *op. cit.*, p. 302.

désaffilié? Je ferais également référence à un passage de Tocqueville souvent cité, mais dont on ne tire pas toujours toutes les implications, qui ne sont pas seulement politiques. Pour Tocqueville, la démocratie « sépare [chaque homme] de ses contemporains; elle le ramène sans cesse vers lui seul et menace de le renfermer enfin tout entier dans la solitude de son propre cœur ». C'est, on le sait, l'égalisation des conditions qui porte ce risque d'atomisation de la société. Mais *pourquoi,* plus précisément, ces individus sont-ils portés à oublier qu'ils font partie d'une communauté? Tocqueville le dit explicitement : ce sont tous ceux, en nombre croissant, qui « n'étant plus assez riches ou assez puissants pour exercer une grande influence sur le sort de leurs semblables ont acquis cependant ou conservé assez de lumières et assez de biens pour pouvoir se suffire à eux-mêmes[1] ». Tocqueville, après Locke, voit parfaitement que c'est la propriété privée (les « biens », auxquels sont fréquemment associées les

---

1. Alexis de Tocqueville, *La Démocratie en Amérique*, Paris, Garnier-Flammarion, 1981, II, p. 126.

« lumières », c'est-à-dire l'instruction, l'éducation, la culture) qui permet à l'individu
moderne de se penser et de se vivre indépendant, affranchi du social, autosuffisant –
« essentiellement non social », comme le dit
aussi Louis Dumont[1].

Ainsi cet individu moderne est-il littérale-
ment un nanti en ce sens précis qu'il dispose
de suffisamment de ressources (de supports)
pour croire n'avoir besoin de rien en dehors
de lui-même pour exister. On conçoit que ce
type de plénitude puisse conduire au narcissisme et à l'ataraxie paradoxale de celui qui,
gavé du monde, se retrouve retranché en lui-
même et indifférent au monde social, mais en
même temps impuissant face à un monde
auquel il n'a plus rien à demander. Il y a ainsi
une forte continuité entre l'individu moderne
qui peut se penser comme responsable et
autonome face au monde et l'individu
« hyper-moderne » contemporain dont parle
Marcel Gauchet et qui joue l'évitement du
monde et le repli total sur soi[2].

------

1. Louis Dumont, *Essais sur l'individualisme*, *op. cit.*,
p. 37.
2. Cette continuité a pu être dissimulée parce que,

Mais l'« individu par défaut » dont je fais état n'est pas gavé, tout au contraire. Si je peux poursuivre cette métaphore un peu osée, il a faim plutôt qu'il ne souffre d'indigestion, il est du côté du manque plutôt que du trop-plein. Cela donne crédit à mon hypothèse qu'il s'est récemment produit une bifurcation dans la trajectoire de l'individu moderne, et qu'il faut rapporter ce nouveau profil d'individu à la dégradation de la propriété sociale

---

comme le souligne aussi Gauchet, l'individu moderne est un homme de la responsabilité et se projette ainsi hors de lui-même. En règle générale, le bourgeois par exemple reste un être de devoirs à l'égard du travail, de la famille, souvent aussi de la religion – devoirs qu'il lui arrive certes de transgresser, et c'est pourquoi il est aussi un être de la culpabilité. Mais seuls les fils de famille déchus et les déviants peuvent s'installer dans la culture du plaisir et de l'autoréalisation sans limites. De même le salarié protégé est resté longtemps inscrit dans des systèmes d'appartenance collective, dans des solidarités de groupe et de classe, d'autant plus qu'il savait que c'est grâce à ces appartenances qu'il avait obtenu sa marge d'indépendance. Il n'est donc pas spontanément un individu a-social et isolé. C'est lorsque ces solidarités se défont qu'il peut en venir – comme le bourgeois converti à l'hédonisme – au repli sur soi.

qui avait élargi, bien au-delà de la propriété privée, le socle supportant l'individu.

C.H. – Comment comprendre en définitive ce paradoxe qui fait que les individus perdent à ce point la conscience du social, alors qu'ils en sont d'une certaine façon saturés ?

R.C. – Peut-être conviendrait-il de reprendre l'analyse sous l'angle des relations que ces individus entretiennent avec la conflictualité sociale et avec la contrainte sociale. L'individu moderne (l'individu responsable de Gauchet) s'est d'abord construit à une époque historique où la conflictualité sociale était forte et où la contrainte était omniprésente. L'implication de cela, dans la structure de l'individu, c'est la conception d'un sujet clivé qui fonctionne à la transgression et à la culpabilité comme dans la conception de la névrose freudienne fondée sur le conflit. En revanche celui que nous avons appelé l'« individu par excès » paraît au-delà de la transgression et de la culpabilité, comme s'il avait dissous le monde et l'avait recouvert sous les exigences de son égotisme dans un subjectivisme sans rivage. C'est la métaphore de Narcisse qui est à prendre au pied de la lettre : Narcisse c'est quelqu'un qui n'a d'autre vis-à-vis que lui-même, qui donc ne peut pas agir par rapport à, ou se référer à un dehors de lui-même, et qui se noie en lui-même. Il se noie en lui-même parce qu'il ne perçoit plus rien qui le dépasse ou le transcende. Ce qui menace cet individu sans référents extérieurs c'est l'apathie ou, comme le dit Ehrenberg, la « panne », le fait de ne pas avoir la capacité de sortir de soi parce qu'il n'y a rien à attendre du monde. Il me paraît intéressant d'essayer de voir la différence entre la pathologie névrotique, qui est une pathologie du conflit s'enracinant dans l'opposition entre le désir et la réalité, ou entre Éros et civilisation, et qui a fait de l'individu moderne un individu clivé, et ce nouveau profil d'individu « hyper-moderne » qui n'est plus dans le conflit parce qu'il n'y a plus rien à transgresser. En termes de psychopathologie, c'est la différence entre la névrose et la dépression. Mais, au-delà du tableau clinique de la dépression, cette difficulté d'investir en dehors de soi semble correspondre à un profil d'individu contemporain qui en devient normal à force d'être de plus en plus répandu, et auquel paraissent également se référer Marcel Gauchet et aussi Alain Ehrenberg. Une telle posture peut être pensée dans le prolongement et à l'aboutissement de cette « thérapie pour les normaux » dont je m'étais efforcé autrefois de dégager les caractéristiques[1]. On pourrait dire que cette thérapie pour les normaux a tellement bien réussi qu'il n'y a plus rien à soigner, rien à guérir, mais peut-être aussi que le malade meurt d'être guéri. Ce qui m'évoque un aphorisme d'Italo Svevo dans *La Conscience de Zénon* que j'ai toujours trouvé très beau : « La vie ressemble un peu à la maladie, elle aussi procède par crises et par dépressions ; à la différence des autres maladies cependant, la vie est toujours mortelle, elle ne supporte aucun traitement. Soigner la vie ce serait boucher les orifices de notre organisme en les considérant comme des blessures. À peine guéris, nous serions étouffés. » Il faudra bien un jour tenter

---

1. *La Société psychiatrique avancée : le modèle américain* (avec F. Castel et A. Lovell), Paris, Grasset, 1979.

d'évaluer le coût de ces refus de la conflictualité, de ces obsessions sécuritaires, de ce souci
éperdu de prévention et de précautions qui
sont devenus des composants, effectivement
de plus en plus étouffants, de notre modernité
tardive. En tout cas des individus ainsi pro-
grammés, enfermés en eux-mêmes, vivent
comme si le social n'existait pas et comme
s'ils n'en éprouvaient pas les contraintes.
Mais il faut se demander si, plutôt que d'avoir
disparu, les contraintes sociales ne sont pas
devenues insaisissables et immaîtrisables par
ces individus.

C.H. – Je ne suis pas convaincue que la
faute et la culpabilité puissent être si nette-
ment opposées à l'idée du manque et
de l'insuffisance. En outre je crois qu'il est
important, pour vraiment prendre la mesure
du problème, de ne pas en rester à des
constats de psychopathologie, mais peut-être
– un peu comme l'avait fait Marcuse au
milieu des années 1950 – de saisir ensemble
plusieurs composantes : la société, l'individu,
les termes dans lesquels les penser. Dans sa
préface à *Éros et civilisation,* Marcuse dit

quelque chose qui, me semble-t-il, est directement lié à ce que nous tentons de faire ici : « Cet essai utilise des catégories psychologiques parce qu'elles sont devenues des catégories politiques. Les frontières traditionnelles entre la psychologie et la philosophie sociale et politique sont devenues caduques à cause de la condition de l'homme à l'époque actuelle. Les processus psychiques qui furent autrefois autonomes et privés sont en train d'être absorbés par le rôle de l'individu dans l'État, par son existence publique. Par conséquent, des problèmes psychologiques se transforment en problèmes politiques : les troubles privés reflètent plus directement qu'auparavant le désordre de l'ensemble, et la guérison des troubles personnels dépend plus directement qu'avant de la guérison du désordre général[1]. »

Si les contraintes sociales ne sont plus lisibles, intelligibles, saisissables par l'individu, c'est peut-être en particulier pour cela qu'il est déprimé, parce que ce sont des

---

1. Herbert Marcuse, *Éros et civilisation*, *op. cit.*, p. 9.

choses qui lui échappent et qu'il n'arrive pas à nommer, à exprimer, à symboliser.

R.C. – J'ai moi-même été un grand admirateur d'*Éros et civilisation*, livre auquel j'ai consacré l'un de mes premiers travaux, un article dans *Critique* en 1965. C'est donc une position du problème que je suis tout à fait prêt à partager, mais il faudrait l'actualiser. En particulier il faudrait développer cette hypothèse de l'illisibilité croissante des contraintes sociales, qui n'équivaut pas du tout à celle de leur disparition. Ce serait parce que l'individu contemporain n'aurait plus à affronter des noyaux visibles de conflictualité qu'il se trouverait dans l'impuissance, « en panne », au sens où il n'aurait plus conscience de buter sur des obstacles, de s'affronter à des limites. Cependant cela n'implique pas qu'il n'y ait plus d'obstacles ou de limites, mais le fait que les contraintes soient devenues insaisissables tout en pouvant être aussi impitoyables. Il faudrait ici analyser les formes nouvelles que prennent aujourd'hui les contraintes économiques et sociales, ce qui est évidemment impossible dans le cadre de notre présent propos. Mais c'est bien ce qui en constitue l'arrière-plan : les mutations technologiques et économiques, la mondialisation des échanges, etc., qui font que les contraintes subies par les individus contemporains échappent de plus en plus à leur représentation et à leur emprise. Marcuse en revanche a proposé sa conceptualisation à un moment antérieur du développement du capitalisme, lorsque la conflictualité était plus directement lisible.

C.H. – C'est peut-être une conception du social qui n'a plus grand-chose à voir avec la conception du social qu'on a connue jusqu'à présent. Il y aurait des contraintes invisibles qui structureraient l'individu ainsi que les rapports entre l'individu et le social de façon telle que la nature des contraintes en serait difficilement discernable.

D'une certaine façon quand on cherche à saisir, à qualifier ces contraintes, elles ont tendance à être insaisissables ou encore à ne pas apparaître comme des contraintes. Comment, dès lors, les limiter, leur résister, si l'on ne parvient même pas à les qualifier ?

R.C. – Oui, on pourrait effectivement dire à la fois que nous vivons sous des formes incommensurablement nouvelles de contraintes sociales, et que nous sommes toujours dans une société dont la structure, ou en tout cas une dimension fondamentale, est définie par la contrainte. C'est encore une référence durkheimienne, mais je crois que l'on peut continuer à dire que ce qui caractérise un pan essentiel du social, y compris en période d'individualisme forcené, c'est ce qui échappe à la prise des individus. Voilà pourquoi il existe toujours un au-delà par rapport aux stratégies individuelles, et pourquoi cet individu qui paraît affranchi du social n'est pas pour autant tout-puissant – c'est plutôt le contraire : il se vit comme apathique, déprimé, parce qu'il manque de prise sur le dehors.

C.H. – C'est pour cette raison qu'il me semble nécessaire de méditer ce qu'avance Pierre Legendre sur la crise qui ébranle le fondement des institutions et bouleverse en profondeur la question de l'individu.

R.C. – Ce qui dépasse l'individu, mais dont il n'est pas nécessairement conscient, parce que ces formes de contrainte sont devenues très lointaines, obéissent à des mécanismes très puissants, de type économico-financier ou technologique, face auxquels l'individu n'a plus de contrôle. À mon avis ce serait une erreur d'en conclure que ces contraintes ont cessé de commander dans une large mesure le destin des individus, et même de ces individus « narcissiques » qui pratiquent l'évitement du social et paraissent vivre dans un hors-social. Mais il faudrait réfléchir plus avant sur ces nouvelles configurations du social qui amènent certains individus à se penser et à se conduire comme si le social n'existait pas. Tocqueville a donné au milieu du XIXᵉ siècle une anticipation particulièrement lucide des conditions générales de cet évitement du social (avoir les conditions matérielles et intellectuelles de l'indépendance), mais il a coulé beaucoup d'eau sous les ponts depuis. Quelles sont aujourd'hui les conditions de l'indépendance ? Et pourquoi paraissent-elles aussi opaques aux individus ?

C.H. – Je sais que vous êtes prudent vis-à-vis de l'expression « individualisme négatif », mais vous avez à mon avis raison de l'employer : même si vous ne la maintenez pas à l'avenir dans vos travaux, c'est un terme, un moyen – provisoire peut-être – pour penser des données inédites. Il y a un ensemble de questions que je crois tout à fait fondamentales, auxquelles on ne sait pas répondre, mais qu'il importe néanmoins de continuer à poser à propos de ce que l'on peut entendre aujourd'hui par social.

R.C. – Je n'ai évidemment pas la prétention de répondre complètement à ces questions. Mais on peut avancer que les relations de l'individuel et du collectif ont profondément changé. Il est moins possible que jamais d'établir des distinctions strictes entre l'individu et le social, le privé et le public. Mais cela ne signifie pas pour autant que ces distinctions n'aient plus de sens. Ce dont il faudrait rendre compte ici, c'est la manière dont l'individu « privé » est profondément socialisé par les dispositifs publics, en fait par le déploiement de l'État social : le statut de l'individu contemporain est indissociable de sa socialisation dans un espace public traversé de régulations étatiques. On peut ainsi saisir *a contrario* la naïveté de l'idéologie libérale dominante et de ses condamnations quelque peu puériles de l'État afin de « libérer » l'individu d'entraves artificielles. C'est faire comme si l'individu pouvait exister en lui-même comme une instance privée, alors que la privatisation de l'individu contemporain est l'aboutissement de longs processus de socialisation. Il ne faudrait pas opposer en soi le privé et le public, mais analyser la manière dont cette distinction a été historiquement élaborée et travaillée, dans une large mesure par une présence de plus en plus insistante de l'État dans la société dite « civile ». Ce serait une entreprise de longue haleine, mais elle serait nécessaire pour comprendre les conditions grâce auxquelles les idéologies exaltant l'individu comme valeur privée, indépendante du social, ont pu se développer. Il faudrait ici aussi adopter une démarche généalogique, en prolongeant par exemple les analyses de Gauchet du *Désenchantement du monde* montrant que les conditions d'émergence de l'individu sont corrélatives du développement de l'État. Le moment décisif est sans doute celui que représente Hobbes dans *Le Léviathan*. Hobbes montre bien que c'est sous la garantie d'un État qui assure la paix civile que l'individu peut avoir une existence privée, développer ses propres entreprises, y compris économiques ; avoir, pour employer une expression que vous aimez bien, un « for intérieur[1] ». Il n'y a pas de for intérieur de l'individu sans une présence forte de l'État pour le garantir. C'était déjà vrai lorsque l'individu était en présence d'un État absolutiste, et c'est encore plus vrai lorsque se développe un État social qui reconfigure l'individu à travers ses systèmes de régulations. D'où le caractère indigent de ces oppositions absolues individu-État, esprit d'entreprise-contraintes étatiques et bureaucratiques que véhicule aujourd'hui l'ultralibéralisme. Le libéralisme a toujours su s'appuyer sur l'appareil d'État pour asseoir sa conception de l'individu et pour poursuivre ses propres intérêts.

---

1. Claudine Haroche (dir.), *Le For intérieur*, Paris, PUF, 1995.

C.H. – Ce sont d'une part des choses singu-
lièrement difficiles à penser et d'autre part des
mécanismes qui ne sont pas intrinsèquement
pervers, mais qui sont à tout le moins susceptibles de pervertir les cadres mêmes de
l'activité de penser. Je me réfère ici sur ces
questions aux textes d'Eugène Enriquez, qui
avait su, il y a déjà plusieurs années, discerner
un certain nombre de dysfonctionnements, en
particulier dans *Les Figures du maître*[1].

R.C. – Le cœur de la difficulté tient sans
doute à l'impossibilité de penser aujourd'hui
un principe d'extériorité du social clairement
identifiable comme c'était le cas lorsque
l'organisation du social était référée à la transcendance dans les sociétés pré-modernes, ou
même lorsqu'elle était structurée en blocs
antagonistes dans la société industrielle.
Aujourd'hui il est devenu impossible de repérer ces clivages clairs, comme l'ancienne
opposition entre les prolétaires et les bourgeois. Il y a certes toujours des gagnants et

---

1. Eugène Enriquez, *Les Figures du maître*, Paris,
Arcantère, 1991.

des perdants au jeu social, mais il est de plus en plus malaisé de rapporter ces oppositions à des instances collectives que l'on puisse nommer en tant que telles. Dès lors les images du dehors se brouillent laissant la place aux interprétations psychologisantes du social et à cette figure de l'individu qui se pense comme si le social n'existait pas.

C.H. – Je ne suis pas sûre de pouvoir vraiment vous suivre lorsque vous dites que le principe d'extériorité se brouille, s'efface devant les interprétations psychologisantes du social. Il ne s'agit pas seulement des interprétations, mais du fonctionnement même du social. Le social lui-même est traversé par le psychologique. Après Marcuse, Sennett et Lasch ont bien montré dans leurs travaux que les frontières entre privé et public tendent à se brouiller. Il y a eu des analyses importantes du malaise, dont celles de Taylor[1], celles encore d'Enriquez repartant de Freud. Ces

---

1. Charles Taylor, *Le Malaise dans la modernité*, Paris, Cerf, 1994 ; Eugène Enriquez, *De la horde à l'État*, Paris, Gallimard, 1983.

situations sont difficiles à penser car elles sont diffuses : on a l'impression que c'est dans l'air du temps, qu'on n'a pas de cadres, d'échelle pour penser ces choses-là, ou qu'il y a une autonomisation des mécanismes, des organisations. Il y a beaucoup de mots pour dire qu'on n'a pas de prise et que les données difficiles à qualifier se soustraient à l'analyse.

En réalité, je pense que, quand on part de faits[1] (je prends délibérément ce terme dans un sens complexe sur lequel nous aurons peut-être l'occasion de revenir), d'observations partielles, délimitées, d'enquêtes concrètes, on arrive parfois à mettre en évidence des données, éventuellement à amener les individus à pouvoir s'exprimer par rapport à des choses diffuses tant pour un observateur

---

1. À titre d'exemple révélateur de la complexité du terme « fait », je dirais que, dans les questions de harcèlement, les législations doivent prendre en compte comme un fait que les gens ont été harcelés : ont-ils été harcelés ou se sont-ils sentis harcelés ? Le droit doit trancher et dire s'il s'agit d'un fait ou d'un sentiment ; ou encore s'il s'agit d'un fait indissociable d'un sentiment éprouvé par celui qui a été harcelé. (Cl. Haroche, « Le harcèlement : une question sensible », *Questions sensibles*, G. Koubi [dir.], Paris, PUF, 1998, et *L'Égalité des chances, op. cit.*)

que pour ceux qui les vivent. Prenons un exemple concret : si l'on fait des enquêtes dans des lycées de banlieue et qu'on donne la parole à des jeunes de quinze à dix-sept ans vivant dans un environnement quotidien qui ne leur offre rien, les dépossède de toute possibilité et d'eux-mêmes avant tout, on voit cependant fréquemment parmi eux des individus qui ont une étonnante aspiration à la compréhension, à la connaissance, au collectif. Cela rejoint un peu ce que vous dites : l'instance du collectif est présente, mais sous des formes peu visibles.

R.C. – C'est une suggestion très intéressante que de repartir d'analyses concrètes pour faire avancer la question. En effet cela n'a sans doute pas grand sens que d'essayer de définir en soi de nouvelles configurations du social qui se caractérisent par leur illisibilité. En revanche il est possible d'analyser leurs effets, en particulier sur les individus en situation concrète. Et bien que je n'aie pas la prétention de faire des analyses vraiment « concrètes », c'est la raison pour laquelle j'attache une importance spéciale à ce profil d'individu par défaut que l'on a longuement évoqué : il me paraît plus proche du principe de réalité et son analyse renvoie à des caractéristiques prosaïques de l'existence sociale comme le chômage, la précarité. À la différence de l'autre profil d'individu qui baigne complètement dans la culture psychologique, il est préservé des tentations du narcissisme. Par exemple, celui qui est expulsé des circuits productifs parce que son entreprise a été délocalisée ne comprend sans doute pas exactement ce qui lui arrive, il n'est pas au fait des mystères de la circulation du capital financier. Mais il sait bien qu'un « dehors » existe et qu'il est impitoyable, même s'il est impuissant à le maîtriser. Ne serait-ce que parce que je ne suis pas économiste, je ne m'aventurerai pas à parler directement des fonctionnements et des dysfonctionnements de ces mécanismes financiers. En revanche le sociologue peut avoir beaucoup à dire sur leurs effets. C'est dans ce cadre que peuvent s'inscrire ces réflexions sur l'individu par défaut. On peut les interpréter comme une tentative pour saisir les effets des transformations socio-économiques actuelles en tant qu'elles déstabilisent les supports sur lesquels s'était édifiée, pour les individus non propriétaires, la capacité d'accéder à la propriété de soi. Ce n'est ni de l'économie ni de la psychologie, mais une tentative pour mettre en relation les transformations socio-économiques et les transformations de l'économie psychique. Peut-être n'est-ce pas si éloigné de l'inspiration du Marcuse d'*Éros et civilisation*, mais bien sûr la configuration de la société a considérablement changé depuis le début des années 1960.

C.H. – L'un des problèmes essentiels tient peut-être finalement à la possibilité de « qualifier » avec précision le type d'économie psychique encouragé par l'extérieur, par le social, en l'occurrence par la violence du marché : le type d'économie psychique de ceux que vous avez longuement analysés, les individus sans protections aussi bien que les individus définis par l'« adhérence à soi »...

R.C. – On peut effectivement parler de transformations intervenues dans l'économie psychique. Mais, pour appréhender le sens et l'ampleur de ces transformations, il faut

partir, selon moi, de l'analyse de la transformation des supports qui structurent cette
économie psychique. En ce sens, même s'il
subsiste, comme je le pense, d'énormes différences entre ces deux profils d'« individu
par excès » et d'« individu par défaut », il
demeure vrai qu'elles doivent être appréhen-
dées et analysées plus avant à partir des transformations contemporaines des supports qui
donnent à l'individu sa consistance, ou au
contraire dont l'absence risque de le faire
basculer dans le vide. C'est pourquoi aussi
l'introduction de la notion de propriété sociale
est décisive pour tout ce propos et représente
la contribution spécifique que je souhaiterais
apporter à cette esquisse de généalogie de
l'individu moderne. La participation à la propriété sociale, puis le décrochage par rapport
à cette forme de propriété m'apparaissent les
entrées privilégiées pour saisir le mouvement
de promotion-généralisation de cet individu
moderne, puis la fragilisation et le désarroi de
certains de ses représentants aujourd'hui.

IV

Le contenu et la méthode

C.H. – Comment alors qualifier, appréhender des biens comme le statut, la fonction, la charge ? Ce sont des biens objectifs et en même temps des biens subjectifs : des biens objectifs indissociables des effets subjectifs dont ils s'accompagnent.

R.C. – Oui mais de toute façon il n'est pas question d'opposer des biens subjectifs et des biens objectifs...

C.H. – Non mais plutôt de tenter de les penser, de les appréhender ensemble : je crois qu'il y a un niveau d'interactions certes complexe, mais qu'il est intéressant de chercher à analyser ; c'est, me semble-t-il, ce qu'a su montrer Simmel dans *Philosophie de l'argent.*

Ce sont des choses à la fois abstraites et concrètes, objectives et subjectives, qu'il est important, voire nécessaire d'essayer de qualifier avec précision. Mauss avait relevé l'intérêt et la difficulté de ce type d'approches voulant prendre en compte idées et faits dans la réalité sociale, la sociologie morale et la sociologie générale, notant d'ailleurs qu'elles avaient constitué le point de départ de Durkheim dans la *Division du travail social*[1]. Dumont avait rappelé quant à lui : « Il résulte de l'identification de l'observateur à l'observé que l'expérience s'empare de l'observateur lui-même. [...] Que l'expérimentation mêle ici le sujet et l'objet, c'est évident dans le travail de maints anthropologues, et l'objectivité scientifique demande que le fait soit reconnu. Il semblerait que, parmi les sociologues français, les non-anthropologues n'aient pas apprécié l'importance de ce fait, qui donne à

----

1. Marcel Mauss, « Fragment d'un plan de sociologie générale descriptive », in *Œuvres*, t. III, Paris, Minuit, 1969, p. 304.

l'anthropologie une valeur particulière parmi les autres disciplines sociologiques[1]. »

Revenons sur une question qui s'est posée à plusieurs reprises : pourquoi les supports et les ressources seraient des choses, des biens, davantage que des positions, des charges, des qualités reconnues aux individus ? N'est-ce pas nécessairement les deux, articulés d'une façon complexe ? Sur ce point, je pense que la préface que Simmel avait rédigée pour *Philosophie de l'argent* est profondément éclairante, nous l'avions vu au début de notre réflexion sur la question de la propriété.

R.C. – Vous schématisez trop ma position si vous dites que selon moi les supports sont des « choses » au sens exclusif de biens matériels. Ainsi, la propriété sociale résulte de l'insertion de l'individu dans des systèmes de régulations juridiques. Le mot de « support » a au moins pour une part un sens métaphorique ; il fait image, mais il n'est pas à prendre au pied de la lettre dans sa matérialité. On pourrait aussi parler de socle ou d'assise. C'est ce qui

---

1. Louis Dumont, *Essai sur l'individualisme*, *op. cit.*, p. 184.

peut donner consistance à l'individu, car –
c'est en tout cas le noyau de mon hypothèse –
l'individu n'est pas doté *a priori* de consistance. L'exemple du vagabond des sociétés
préindustrielles ou du prolétaire des débuts de
l'industrialisation le prouve à mon sens : ces
individus ne sont *que* des individus sans supports, et ils sont de ce fait condamnés à une
quasi-inexistence sociale. Cela dit ce qui
donne consistance à l'individu ce peut être
l'appropriation de biens matériels comme
dans la tradition lockienne de l'individualisme
possessif, mais ce peut être aussi la participation à des protections et à des droits. Cela va
donc bien au-delà de la possession de biens
matériels. Mais ce plan que j'essaie de dégager n'est pas pour autant celui des interactions
entre les individus. Il est le socle à partir
duquel peuvent se déployer les interactions
– ce n'est pas de la psychologie.

C.H. – Ce n'est pas seulement de la psychologie. Ce qui me semble certes complexe
mais intéressant, c'est d'essayer de montrer
que c'est aussi de la psychologie.

R.C. – Je dirais plutôt qu'il s'agit des conditions de possibilité pour qu'il y ait de la psychologie, ou plutôt des interactions qui ne sont plus de l'ordre des déterminations objectives. Tout le monde a des sentiments, des affections, noue des relations avec autrui, etc., et en ce sens tout le monde est un sujet psychologique. Mais ce qui m'intéresse ce sont les conditions à partir desquelles on peut accéder à l'indépendance, condition pour disposer de la propriété de soi, et tout le monde, tous les individus n'accèdent pas à ce statut. C'est pourquoi je raisonne en termes de socle, ou de support, ou de matrice ou de cadre. C'est un raisonnement sociologique, ou plutôt socio-historique, et non une analyse psychologique.

C.H. – Il y a dans « socle » et « cadre » quelque chose qui n'est pas neutre, de l'ordre du soutien, du support au sens étymologique du terme. Et je crois que là, à l'instar des historiens et des juristes qui y recourent fréquemment, il est intéressant de retourner aux étymologies. Non pas pour nier qu'il y ait des processus, mais parce qu'il y a quelque chose qui est vague et pourtant fondamental, qu'il faut peut-être chercher à préciser.

R.C. – Parler en termes de socle, de support, c'est en somme s'efforcer de regarder « derrière » l'individu, et c'est évidemment de réalités non individuelles qu'il s'agit. Par exemple la propriété privée peut être conçue comme une appropriation par l'individu, mais elle se sédimente et forme l'assise matérielle de son statut social. De même, parler de propriété sociale signifie que « derrière » l'individu qui en est doté il y a – pour reprendre un terme qu'Erving Goffman a employé dans un sens un peu différent – des coulisses. L'ayant droit de la Sécurité sociale, par exemple, dispose d'assises que n'avaient pas le vagabond ou le prolétaire qui vivaient « au jour la journée ». Ces ressources peuvent être de nature différente : une maison, des rentes, un compte en banque, mais aussi des droits sociaux, un régime de protections. Ces biens représentent un registre d'objectivité qui dépasse l'individu en tant qu'individu et lui donnent une consistance sociale, un statut.

C.H. – L'accroissement des supports immatériels dans les sociétés contemporaines est
manifeste : ils ont souvent des formes d'existence, ou d'inexistence, paradoxales, insaisissables, incernables. Ne pensez-vous pas qu'il
serait également intéressant de chercher à
penser dans vos travaux le rapport entre supports visibles et supports invisibles, propriété
visible et caractère virtuel de la propriété ?

Il peut y avoir des degrés, des formes
d'immatérialité qui ne sont pas les mêmes. Y
a-t-il aujourd'hui une accentuation de l'immatérialité ou du virtuel ? Ne pensez-vous pas
que c'est une piste qu'il faudrait creuser ?

R.C. – C'est un problème difficile, mais il
faudrait partir du fait que la transformation de
la propriété dans le sens de son immatérialisation n'est pas un phénomène récent. Le
modèle de la propriété a longtemps été la propriété de la terre, mais ne l'est pas resté. Le
tournant c'est peut-être ici encore le moment
que Locke exemplifie. En un sens Locke est
encore proche du modèle de la propriété ter-
rienne : il prend ses exemples d'appropriation
dans l'appropriation de la terre. Mais il est

déjà conscient de l'importance de la monnaie, du travail, du salariat et de l'accumulation capitaliste. Un autre moment important serait l'avènement des sociétés anonymes et de l'actionnariat qui immatérialisent d'une certaine manière la propriété des entreprises en dénouant le lien entre la propriété et une personne particulière ou une famille. La jouissance de la propriété est différée, elle dépend de conditions d'ordre contractuel. On peut noter que la création des sociétés anonymes (1867 en France) est juste antérieure à la promotion de l'assurance obligatoire, noyau de la propriété sociale, et réfléchir sur la relation qui existe entre cette forme d'immatérialisation de la propriété privée et le développement de la propriété sociale qui résulte, comme on l'a vu, d'une collectivisation des protections : l'individu privé est « couvert » parce qu'il est inscrit dans un espace immatériel de régulations juridiques [1]. Il s'agit de ce

---

1. Alfred Fouillée, l'un des théoriciens les plus importants de la propriété sociale, fait lui-même le rapprochement : « En face des capitaux associés, il faut que les travailleurs associent leur prévoyance et leurs épargnes dont

que les juristes appellent un droit-fonction, le « tireur » du droit ne peut en bénéficier que pour réaliser la finalité sociale pour laquelle il a été constitué et la créance ne peut être endossée par un tiers.

Avec la « révolution informationnelle » et les formes actuelles de la circulation du capital financier, à la fois instantanéisées et mondialisées, on assiste à coup sûr à une autre mutation décisive dans le sens de l'immatérialisation de la propriété. Cependant je trouve significatif que Michel Aglietta nomme encore « propriété sociale » une forme d'actionnariat salarial qu'il préconise pour équilibrer au profit des travailleurs l'évolution actuelle du capitalisme financier dans un sens de plus en plus fluide et volatil, ce qui soulève d'ailleurs pas mal de difficultés[1]. Mais il est incontestable en tout cas que ce processus d'immatérialisation de la propriété est de plus en plus accentué et que ces transformations ouvrent, comme vous le suggérez, des pistes de

---

la force est centuplée par le régime des assurances » (*La Propriété sociale et la démocratie, op. cit.*, p. 146).

1. Voir Michel Aglietta, « Le capitalisme de demain », *Fondation Saint-Simon*, n° 101, novembre 1998.

recherche qu'il faut continuer à creuser. Mais je ne pense pas qu'elles contredisent l'entrée que je propose : que les supports deviennent de plus en plus immatériels n'enlève rien à leur qualité de support et à la nécessité de leur existence. Leur immatérialisation croissante paraît même plutôt de nature à étendre leur juridiction.

C.H. – Vous recourez à toute une série de termes qui lient un état moral, psychologique, à une position sociale. Vous vous centrez sur la position sociale. Il me semble alors intéressant de s'attacher à certains des termes que vous employez dans votre avant-propos aux *Métamorphoses de la question sociale*. Vous dites : « Quelqu'un tombait dans le salariat quand son état se dégradait, s'installait dans la dépendance »; vous parlez de la « vulnérabilité nouvelle définie et vécue sur fond de protections qui est différente de l'incertitude des lendemains[1] ». Vous rappelez en même temps que vous avez une position de sociologue et

1. *Les Métamorphoses de la question sociale. Une chronique du salariat*, Paris, Fayard, 1995, p. 11.

vous voulez produire un certain type d'intelligibilité visant à évaluer ce qui distingue les
anciennes situations de vulnérabilité de masse
et la précarité d'aujourd'hui. Vous recourez à
un vocabulaire qui renvoie fondamentalement
à ce que les individus éprouvent. Comment –
et pourquoi – vous démarquez-vous tellement de la psychologie, ou même de la psychologie sociale, alors que nous considérons
à juste titre qu'*Éros et civilisation*, qui a
bien situé le rôle décisif des rapports entre le
psychologique et le politique, est un ouvrage
majeur ?

R.C. – Mon souci n'est pas de me démarquer de la psychologie, mais plutôt de ne pas
rester immergé dans la psychologie. Il est certain que des notions comme précarité ou vulnérabilité ont une connotation psychologique,
au moins en ce sens qu'elles renvoient à des
expériences vécues, qu'elles sont subjectivement éprouvées par les individus, et comme
c'est souvent sur le mode du malheur, c'est à
mes yeux une raison de plus pour les prendre
au sérieux afin de les combattre. Je ne prétends pas à l'objectivisme, et je n'ai pas du

tout envie d'être objectiviste. D'ailleurs, à tort ou à raison, je me méfie du quantitativisme, du formalisme, et j'ai toujours fait un usage très modéré des statistiques. Je m'efforce constamment de restituer la charge de vécu qu'il y a derrière ces situations sociales et ce n'est sûrement pas par hasard que je parle souvent de vulnérabilité, de précarité ou de désaffiliation, mots qui ont une charge affective certaine. Mais ce n'est pas de la psychologie que j'entends faire parce que je traite ces situations en tant que situations collectives. Ainsi, la vulnérabilité telle que j'essaie de la mettre en scène est une situation sociale vécue par un grand nombre de gens – en témoigne d'ailleurs le fait que j'emploie souvent l'expression « vulnérabilité de masse ». Il s'agit de la situation d'un ensemble de personnes prises dans des systèmes de contraintes qui, justement, les rendent fragiles, vulnérables, incertaines du lendemain. Il y a de toute évidence des connotations psychologiques à ces situations et il est parfaitement légitime de les traiter sur ce plan, de constituer par exemple des histoires de vie. Mais en ce qui me concerne, j'essaie de trouver des régularités qui font que ces histoires singulières représentent aussi un destin social.

C.H. – Votre approche, à un moment ou à un autre, rencontre la question des histoires de vie, des récits de vie, dans leur multiplicité. Ce sont des parcours comparables que vous retracez quand vous vous attachez à ces parcours de désaffiliation. Ce sont des individus qui se trouvent dans des situations comparables et qui doivent peut-être éprouver des choses comparables.

R.C. – Sans aucun doute, mais ce sur quoi je mets l'accent c'est, comme je le disais, leur relation avec les régulations et les dérégulations collectives qui donnent la signification sociale de ce vécu. Par exemple j'ai employé l'expression « vulnérabilité de masse » pour essayer de donner sens à toute une gamme de situations qui peuvent être très diversifiées, mais qui caractérisent l'état d'une grande partie de ces gens formant ce que l'on appelait le peuple. Cette configuration renvoie à des caractéristiques objectives : généralement de bas revenus, l'instabilité de l'emploi, souvent aussi une faible intégration dans les réseaux de sociabilité primaire... Bien qu'il s'agisse incontestablement de situations vécues, il s'agit aussi d'un phénomène de masse, et c'est surtout sous cet angle qu'il m'intéresse parce que c'est par ce caractère collectif qu'il forme une composante intrinsèque de la structure sociale. Ce n'est pas récuser le vécu, mais dire que l'analyse doit porter aussi sur la structure sociale – ce qui me semble assez logique s'agissant d'essayer de faire de la sociologie !

C.H. – Non seulement je pense qu'on ne peut pas récuser ce vécu, mais surtout je ne vois pas l'intérêt de le faire. Effectivement il y a la façon dont on travaille, dont on peut travailler, dont on décide de travailler, mais après cela il y a tout de même des observations, des travaux, des analyses, qui sans être identiques sont cependant suffisamment proches pour être complémentaires.

R.C. – J'espère, et je suis d'ailleurs persuadé, que mon registre d'analyse est complémentaire et congruent avec d'autres registres qui partent plus directement du vécu. Mais en ce qui me concerne, j'ai une extrême méfiance à l'égard du risque de confusion qui résulterait d'un mélange des plans d'analyse. C'est pourquoi, d'une manière exagérée peut-être, j'essaie de m'en tenir à un registre homogène de compréhension – ce qui ne m'empêche pas d'admirer d'autres registres de compréhension du même phénomène, et à l'occasion de m'en inspirer. Par exemple pour mon analyse de la vulnérabilité populaire, j'ai relu *Les Misérables* de Victor Hugo, dont la construction romanesque a un sens sociologique profond. Mais un sociologue ou un historien n'ont pas à récrire *Les Misérables*. J'espère seulement que ce que je dis de la misère travailleuse s'accorde avec la peinture qu'en donne Victor Hugo, et la lecture des *Misérables* m'a beaucoup marqué. Mais, indépendamment même de leur différence de valeur intrinsèque, ces analyses ne sont pas sur le même plan, et je pense qu'il ne faut pas confondre les plans.

C.H. – C'est là-dessus que je voudrais revenir. Vous avez parlé de confusion. Je ne vois pas en quoi il y a risque de confusion. Ce sont des approches distinctes, mais qui se recoupent souvent. Par exemple les chercheurs qui font de la sociologie clinique, se penchent sur des itinéraires de vie, réalisent à mes yeux un travail disjoint, mais complémentaire et éclairant par rapport à celui des chercheurs dont les approches se veulent plus strictement sociologiques, objectivistes. Pourquoi préférer nourrir l'analyse en recourant davantage à des textes littéraires – consacrés au demeurant – qu'à des travaux contemporains qui portent sur des objets (individus et situations) identiques ?

R.C. – Nous ne sommes pas nécessairement en désaccord. J'ajouterais seulement que la complémentarité peut naître de la division du travail. Il n'y a plus aujourd'hui d'esprits encyclopédiques capables de maîtriser l'ensemble des points de vue sur un même phénomène. C'est pourquoi il me semble préférable d'essayer de creuser un sillon, ou de tirer un fil d'intelligibilité à partir d'une entrée que l'on privilégie, pour des raisons sur lesquelles on pourrait d'ailleurs revenir. Mais je suis bien conscient du fait qu'il y a d'autres entrées possibles sur la question qui peuvent être aussi légitimes. Ainsi s'agissant ici de cette lecture de la constitution de l'individu moderne à partir de la notion de supports, elle ne disqualifie pas d'autres entrées, par exemple celle de la sociologie clinique, ou celle de Paul Ricœur à partir du récit, de Norbert Elias à partir de sa propre interprétation du processus d'individualisation, d'Alain Renaut ou d'Alain Touraine qui choisissent de privilégier l'autonomie du sujet plutôt que l'indépendance de l'individu, etc. Il vaudrait d'ailleurs la peine de se confronter plus avant à ces perspectives, de s'interroger sur leurs différences et leur congruence éventuelle avec ce que je propose. C'est ce que l'on a esquissé ici par rapport à Marcel Gauchet, sans doute parce que c'est la position la plus proche de la mienne. Mais, du moins dans un premier temps, ce que l'on peut exiger d'un type d'analyse c'est qu'il ait sa propre rigueur et sa propre cohérence.

C.H. – Non seulement la sociologie clinique que nous venons d'évoquer peut avoir une grande cohérence, mais j'estime qu'elle tient également lieu de cadre d'analyse à d'autres travaux, qu'elle s'articule avec d'autres travaux ainsi qu'avec des témoignages littéraires. Vous avez vous-même cité *Les Misérables*...

R.C. – Ce n'est pas du tout la sociologie clinique que j'avais en ligne de mire, mais ces discours qui se parent des prestiges de l'interdisciplinarité pour, si j'ose dire, noyer le poisson. Car c'est précisément parce que la réalité est complexe qu'il faut, comme le préconisait Descartes, découper un problème en autant de parties qu'il convient pour le mieux résoudre. Si Descartes a fondé la physique moderne c'est qu'il a eu l'audace de se dire : le chatoiement des apparences, les qualités, les couleurs, les saveurs, je mets tout cela entre parenthèses, je pèse et je mesure, et un kilo de plumes est aussi lourd qu'un kilo de plomb. Évidemment dans les sciences sociales, il ne s'agit pas essentiellement – du moins selon moi – de quantifier. Mais je pense qu'il faut commencer par distinguer, refuser le mélange des genres et la confusion des plans d'analyse, pour ensuite essayer de construire des synthèses qui ne soient pas de simples juxtapositions d'impressions. J'ajoute que le souci de rigueur n'exclut pas que l'on puisse s'appuyer sur de multiples sources et se référer à de multiples expériences. J'ai déjà évoqué *Les Misérables*, mais on peut aussi bien, pour le XIXe siècle, songer à Balzac ou à Dickens par exemple. Pour la période contemporaine, les témoignages sur la misère ou la désaffiliation ne manquent pas. Il est nécessaire également de recueillir directement le récit des personnes qui vivent ces situations. Il est vrai que j'ai peu pratiqué d'entretiens sur un mode formel, ce que l'on appelle des interviews. Mais j'ai tout de même passé pas mal de temps à écouter les gens concernés. Il y a aussi le témoignage de ceux qui s'en occupent, comme les intervenants sociaux, et les récits recueillis par d'autres sociologues. Je songe par exemple à plusieurs interviews reproduites dans *La Misère du monde* par l'équipe de Pierre Bourdieu qui présentent comme un puzzle des situations actuelles de vulnérabilité sociale telles qu'elles sont

vécues. Il y a également la documentation historique qui porte aussi sa charge de vécu. Par
exemple j'ai trouvé dans le *Projet de dîme
royale* de Vauban, plus connu pour ses fortifi-
cations que pour ses écrits, une extraordinaire
peinture de la vulnérabilité populaire au début
du xviii[1] siècle [1]. Un travail sur la vulnérabilité
n'est pas seulement une construction de
l'esprit : il part d'une réflexion sur de multiples expériences, et il voudrait bien en restituer la charge vécue. Mais c'est aussi un travail de construction intellectuelle.

C.H. – Ne pensez-vous pas qu'il y a un
lien entre le fait que l'on ait vécu des situations éprouvantes et le fait de pouvoir travailler sur des situations analogues qui requièrent
dans le même temps de la sensibilité et de la
distance ?

R.C. – Vous le savez certainement, il y a
toute une littérature autour de cette question
qui concerne l'« implication du chercheur »,

---

1. Sébastien Le Prestre de Vauban, *Projet de dîme
royale*, Paris, 1709.

comme on dit, dans sa recherche. Sans doute peut-on faire des statistiques, ou des analyses quantitatives ou formelles, comme on fait des mathématiques ou de la physique nucléaire (encore y a-t-il sûrement des motivations personnelles dans le choix de ces disciplines). S'agissant en revanche de questions qui tournent autour du risque de basculer dans le malheur, comme lorsque l'on parle de vulnérabilité ou de désaffiliation, je ne pense pas que l'on puisse les traiter un peu sérieusement sans avoir une certaine affinité avec ces situations. En tout cas ce qui m'a toujours intéressé, ce sont ces situations limites, les risques de décrochage, la condition de tous ceux dont le destin n'est pas assuré. Ce n'est pas un hasard si l'« individu par défaut » me concerne davantage que l'individu conquérant, de même que ce n'est pas un hasard si auparavant je me suis beaucoup intéressé aux questions qui tournent autour de la folie et de la psychologie. Il y a certainement à cela des raisons personnelles, ou des motifs existentiels. Cependant je me garde de prendre ces questions au premier degré. Ainsi, je n'ai pas parlé du vécu de la folie, mais du traitement

social des malades mentaux ; je n'ai pas ana-
lysé les fantasmes, mais le fonctionnement et
les effets du dispositif que la psychanalyse a
monté pour les mettre en scène. C'est peut-
être, dirait un psychanalyste, une défense,
mais je pense que ce n'est pas une mauvaise
défense : la seule question qu'il faut poser,
puisque l'on n'est pas en thérapie, c'est de
savoir si cette implication personnelle et son
contrôle produisent de la connaissance. En ce
qui me concerne j'essaie de produire un peu
de connaissance.

C.H. – C'est en partant de choses vécues ou
proches qu'on peut ensuite les élaborer en
prenant de la distance : on arrive à retracer
des éléments de généalogie, à rétablir un lien,
fût-il ténu. C'est ce qui me paraît intéressant
dans les travaux portant sur les rapports entre
histoires de vie et choix théoriques. Il faut
peut-être avoir connu certaines situations pour
parler de la dépendance aussi bien à l'alcool
qu'à la drogue, avoir connu la dépendance
économique, sociale et psychologique, celle
qu'ont connue dans leur majorité les femmes
dans l'histoire. Ainsi, je vois mal un caïd de la

mafia revendiquant des valeurs machistes se mettre à travailler sur certaines formes de dépendance liées à la condition féminine. Je crois que ce sont des choses importantes à penser, même si l'on sait – vous le dites vous-même – qu'on ne peut pas tout faire : il y a des choses sur lesquelles on peut travailler à partir du moment où on les perçoit, les éprouve, les discerne ; cela passe par l'identification, la projection.

R.C. – C'est une autre manière de dire qu'il n'y a pas d'objectivité absolue dans les sciences sociales. La rigueur existe ou doit exister et il faut en payer le prix, qui peut être frustrant pour la subjectivité. C'est pourquoi il faut construire une certaine distance par rapport à ses affects. Mais cela ne veut pas dire que l'on n'ait pas d'affects ou que l'on ne fasse pas de choix. Cela n'est scandaleux que pour ceux qui sont assez naïfs pour croire que l'on peut tenir un discours absolu sur le monde social, comme si l'on n'y était pas impliqué. Je pense au contraire que ce que l'on fait en sciences sociales s'inscrit toujours dans le cadre d'un débat de société qui exige que l'on prenne parti. Ainsi, il y a aujourd'hui un vrai débat de société autour des dérégulations de l'organisation du travail que prône le néo-libéralisme (voir par exemple les enjeux de la « refondation sociale » telle qu'elle est impulsée par le MEDEF). Faut-il remarchandiser au maximum le monde du travail au nom de la recherche de la rentabilité à n'importe quel prix ? Ou doit-on défendre l'exigence d'assurer un minimum de protections et de sécurité à ceux et à celles qui par leur travail sont aussi les artisans de la production des richesses ? On peut fournir des données pour alimenter ce débat, faire un diagnostic aussi précis que possible des transformations actuelles de l'organisation du travail et de leurs conséquences sociales, et c'est le rôle du sociologue. Mais on ne peut réfuter uniquement par des raisons la position axiologique de celui qui prétend que le libre jeu du marché est l'impératif catégorique auquel toute l'organisation sociale doit se plier. On peut lui opposer un autre choix de société qui défend la nécessité d'un minimum de cohésion sociale ou de solidarité. Ces deux positions s'opposent dans le cadre de ce que l'on appelait autrefois la « lutte idéologique ». Le mot a vieilli mais il recouvre une réalité qui selon moi n'est pas dépassée : le monde social n'est pas neutre, dans les transformations actuelles il y a toujours des gagnants et des perdants, ceux qui tirent leur épingle du jeu et ceux qui sont instrumentalisés, et l'on est en droit de choisir son camp – c'est ce que je fais. Ce n'est pas incompatible avec la recherche de la rigueur car la professionnalité en sciences sociales consiste à contrôler des affects et des convictions que tout le monde a, y compris le sociologue, en respectant les exigences d'une démarche objective.

C.H. – Nous relevions précédemment que l'on se trouve à nouveau confronté aujourd'hui à une confusion, à un malaise qui marquait les questions d'identité au début du siècle. Cette confusion est à présent non seulement accentuée, mais également inédite à bien des égards. Le début du siècle a vu l'émergence d'interrogations profondes, sans toutefois connaître cet effacement, cette disparition d'oppositions appréhendables, discernables, visibles, que souligne Marcel Gauchet au travers de ces stratégies d'évitement par rapport au conflit. On parle beaucoup moins – ou quasiment plus – de lutte des classes, mais il y a des situations, peut-être de plus en plus diffuses où, sous des formes multiples, les gens sont dans des situations de lutte et de survie.

R.C. – Cela renvoie à ce que l'on discutait précédemment : il y a toujours, et sans doute autant qu'auparavant, de la conflictualité sociale, mais elle n'est pas distribuée de la même manière, elle n'est plus cristallisée autour de blocs antagonistes. Cependant si l'on ne peut plus aujourd'hui défendre une conception de la lutte des classes telle que Marx par exemple l'a élaborée, la représentation de la société comme une totalité homogène et apaisée est au moins aussi éloignée de la réalité. Les inégalités de toute sorte ont plutôt tendance à se creuser, et l'on n'a jamais autant parlé d'exclusion qu'aujourd'hui, même si ce n'est sans doute pas la meilleure façon de nommer les malheurs du temps.

C.H. – Comme on l'a souligné à plusieurs reprises la conflictualité sociale est difficile à repérer, à formuler, parce qu'elle est masquée par des situations, des faits moins visibles, voire relativement inédits. Conflictualité, exclusion : vous liez l'exclusion au fonctionnement de la société dans son ensemble. Vous écrivez en effet : « La question sociale se pose explicitement sur les marges de la vie sociale, mais elle met en question l'ensemble de la société. » Pourriez-vous développer un peu la façon dont les marges mettent en cause la société dans son ensemble ?

R.C. – Parallèlement au recours à l'histoire et à l'approche généalogique dont j'ai déjà souligné l'importance, ce souci de transversalité me paraît être l'autre caractéristique essentielle pour fonder une démarche rigoureuse en sociologie. Certes la réflexion sur les situations que l'on peut qualifier de marginales, de périphériques ou d'extrêmes est fondamentale. Mais il ne s'agit pas de les autonomiser. Il faut s'efforcer de saisir comment elles sont produites, c'est-à-dire quelles sont leurs relations avec l'ensemble social. Voilà d'ailleurs pourquoi je suis extrêmement critique à l'égard de la notion d'exclusion qui veut nommer la situation d'individus et de groupes qui auraient été rejetés de la société. Mais personne n'est dans le hors-social. Ces situations extrêmes sont l'effet de processus qui agissent en amont. Par exemple, l'« exclusion » du chômeur de longue durée renvoie à la politique de l'entreprise qui l'a licencié, aux politiques de l'emploi, aux dynamiques économiques fondées sur la recherche de la compétitivité à n'importe quel prix, etc. Comme le dit un proverbe chinois, « le poisson pourrit par la tête ». Faire de la sociologie, c'est me semble-t-il tenter – même si ce n'est pas facile – de construire ces relations qui traversent les différentes strates de la structure sociale. Ainsi comment passe-t-on de l'intégration à la vulnérabilité, de la vulnérabilité à l'« exclusion » (et inversement, mais c'est aujourd'hui plus rare) ? S'en tenir à l'exclusion c'est donner une réponse paresseuse et courte qui économise tout ce difficile travail de mise au jour des processus qui aujourd'hui ébranlent la société salariale de part en part. Cette exigence de maintenir une approche transversale me paraît fondamentale pour saisir le sens et l'ampleur des transformations sociales actuelles. C'est le parti pris que j'ai essayé de mettre en œuvre à partir du rapport au travail dans *Les Métamorphoses de la question sociale*. Mais il me semble aussi pertinent pour traiter la question de l'individu contemporain. Je ne vois pas bien ce que l'on gagne à dire qu'il y a des « exclus » et à nommer ainsi des individus dont les situations sont aussi différentes que celles du chômeur de longue durée, du jeune de banlieue, de la mère célibataire, du SDF, du handicapé, du vieillard isolé, et j'en passe, car ce mot-valise est désormais collé sur n'importe quelle situation problématique. C'est une manière purement négative de nommer des profils hétérogènes d'individus, et elle ne permet pas d'analyser les dynamiques qui les ont menés là. On peut en revanche dire qu'aujourd'hui différents types d'individus ont été invalidés par la conjoncture économique et sociale, et essayer d'établir les mécanismes de cette invalidation. Ou encore dire qu'ils ont été placés en position d'inutilité sociale, ou de « surnuméraires », parce qu'ils ne sont pas inscrits dans les dynamiques qui produisent la richesse et la reconnaissance sociale. Je ne prétends pas qu'il s'agisse là d'explications définitives, mais au moins d'orientations de recherche qu'il faut emprunter pour décrypter la complexité de la situation actuelle.

C.H. – « Surnuméraires » et « inutiles » sont des termes qui ne me semblent pas pouvoir relever uniquement d'une approche sociologique. « Vulnérabilité », « fragilité » impliquent des sentiments, renvoient à la sphère des sentiments, même quand il s'agit de ce que vous appelez « vulnérabilité de masse ». Ces situations ont nécessairement des effets en matière de sentiments, de sensibilité, de représentations de l'individu à ses propres yeux : considérés comme en trop, ils n'ont pas de place. « Exclus », on peut dire qu'ils sont en dehors de la société ; « surnuméraires », ils sont dans la société, mais ils n'ont pas de place.

R.C. – Comme je le disais précédemment, je préfère parler de « surnuméraires » plutôt que d'« exclus », car si personne n'est à proprement parler en dehors de la société, tout le monde ne s'y voit pas reconnaître une place. Cette absence de place reconnue est effectivement le problème qu'éprouvent ces gens invalidés par la conjoncture actuelle, et c'est aussi le problème qu'ils posent : que faire d'eux et que faire pour eux ? (voir les politiques plus ou moins convaincantes de traitement social du chômage, les politiques d'insertion, etc.) Mais ces modes d'inutilité sociale n'équivalent pas à de l'inexistence sociale. D'une part parce que la présence de ces gens continue à peser sur la société. Ainsi, l'existence d'un chômage de masse et le risque du chômage ont pesé sur les politiques salariales en paralysant les capacités revendicatives de ceux qui avaient un emploi et qui passaient de ce fait quasiment pour des privilégiés. D'autre part ces individus sont fragilisés, leur existence est souvent précaire et menacée, mais ce ne sont pas des zombis : ils existent bel et bien, même si c'est souvent sur le mode de la conscience malheureuse. Voilà pourquoi j'ai eu tendance à revenir sur l'expression

d'« individualité négative » que j'avais
d'abord employée et dont la connotation est
sans doute trop proche de celle de l'« exclusion ». Il faudrait explorer ces individualités
problématiques autrement qu'en termes purement négatifs. En tout cas ils font effectivement partie de la configuration actuelle de la
société, et c'est aussi pourquoi, contrairement
à ce que vous dites, essayer de rendre compte
de leur situation me paraît tout à fait relever
de la sociologie.

C.H. – Vous dites : que faire d'eux, que
faire pour eux ? Je pense qu'il serait ici important d'essayer de distinguer entre, d'une part,
la protection par le biais des droits, et, de
l'autre, des formes de protection, paternaliste
en particulier. Revenons de nouveau sur la
question que je vous posais à l'instant sur les
marges de la vie sociale. À la fin de votre
avant-propos, vous écrivez : « Quel est le
seuil de tolérance d'une société démocratique,
de ce que j'appellerai, plutôt que l'exclusion
– vous aviez déjà cette réserve vis-à-vis de
l'exclusion –, l'invalidation sociale ? » Vous
dites : « Telle est à mon sens la nouvelle

question sociale [1]. » La question de l'invalidation sociale et le seuil de tolérance, pourriez-vous développer un peu là-dessus ? Pensez-vous qu'on peut évaluer, mesurer, rendre tangible, en définitive, l'état d'indifférence ou d'apathie d'une société ? Je ne parle pas d'économie, mais de l'inertie, de l'apathie qui serait un des aspects, une des composantes de l'anomie durkheimienne : quand nombre d'observations, de faits, conduisent à penser que le tissu social se délite, peut-on définir un seuil de tolérance et de société démocratique ? Ne croyez-vous pas que cela se situe autant sur le plan social que sur le plan économique ?

R.C. – L'expression de « seuil de tolérance » n'est ici qu'une image, car on ne peut mesurer *stricto sensu* les capacités de résistance d'une société aux risques de dissociation. Ceux qui s'y sont essayés n'ont pas été heureux dans leurs prévisions. C'est Beveridge, je crois, qui a dit que les sociétés modernes ne pourraient supporter le seuil

---

1. *Les Métamorphoses de la question sociale, op. cit.*, p. 22.

d'un million de chômeurs sans exploser. On sait qu'en France ce « seuil » a été multiplié par trois au moins, et que si la société française a été ébranlée elle n'a pas explosé. Néanmoins si l'on ne peut chiffrer la réponse, il faut maintenir ouverte la question car elle est celle des conditions nécessaires pour qu'une société continue à constituer une « société de semblables » telle qu'on l'a précédemment évoquée, ou en termes politiques une démocratie, une communauté de citoyens liés par des relations d'interdépendance. Lorsque des groupes entiers de sujets sociaux sont invalidés, on n'est plus dans une société de semblables, ni dans une démocratie. Sparte avec sa fracture entre les citoyens et les ilotes, les sociétés organisées autour de différences irréductibles entre des castes, des ordres, des états, des classes, ne sont ni des sociétés de semblables ni des démocraties. Dans les sociétés modernes qui se sont organisées autour de principes démocratiques – l'égalité au moins formelle entre les citoyens –, il y a aussi un risque de fracture. À partir de quel seuil ? Lors des années de prospérité de la société salariale il demeurait en France un certain nombre de personnes – cinq cent mille peut-être – qui n'étaient pas inscrites dans la dynamique de modernisation de la société : on parlait de « quart monde » pour nommer ces gens qui apparaissaient comme des non-valeurs sociales et dont s'occupaient les associations philanthropiques. Mais on pouvait plaindre leur sort et essayer de leur venir en aide sans penser que leur présence menaçait l'équilibre global de la société. La dynamique actuelle est différente parce que les formes nouvelles d'invalidation sont produites par l'ébranlement des régulations qui sont au cœur de la société. Si ce mouvement s'amplifie cette hémorragie risque de subvertir complètement la structure même de cette société. On aurait par exemple, comme l'envisagent certaines projections américaines, 20 ou 30 % ou 40 % de la population intégrée aux circuits de production de la richesse et de distribution du pouvoir. La partie restante serait alors réduite, sous des formes qui pourraient être très diverses, à l'état de non-valeurs sociales. Le « seuil de tolérance » serait largement dépassé. On ne peut dire aujourd'hui comment cette forme de société « duale » pourrait être gouvernée, parce que nous n'en sommes pas (encore?) là. Mais on peut affirmer que ce ne serait plus une société de semblables, et douter fortement que de telles disparités de conditions – qui vont bien au-delà des inégalités que nous connaissons – soient compatibles avec l'existence d'un régime démocratique.

C.H. – Vous parlez de dynamique sociale mais je crois que c'est tout autant ou davantage la question de la dynamique individuelle ou des modalités selon lesquelles le social détermine, contraint, entrave ou ignore la dynamique individuelle. De ce point de vue il me semble essentiel de se poser la question de savoir quand les gens sont invalidés, désaffiliés, s'ils peuvent – et comment – retrouver de la détermination, une capacité de lutte. Le risque évident, à mes yeux, c'est la résignation. Ou l'explosion désespérée de ceux qui n'ont, ou pensent n'avoir rien à perdre.

R.C. – Comment dépasser la résignation, qu'est-ce qui pourrait réenclencher une dynamique positive? Ce sont des questions cruciales, mais difficiles. Mais tout d'abord il n'est pas évident que toutes ces populations invalidées soient résignées. L'existence de mouvements de chômeurs, même s'ils demeurent très minoritaires, montre le contraire. De même les jeunes de banlieue portent un potentiel de revendication et de révolte. Le problème est plutôt celui de la forme que peuvent prendre les capacités de résistance. Dans le cas de ces jeunes elles sont souvent autodestructrices et se retournent contre eux : les drogues, les casses, les rodéos du samedi soir... Une issue positive passerait sans doute par une collectivisation de ce potentiel de résistance. C'est en tout cas ce que suggère l'histoire de la constitution de la classe ouvrière. Le premier prolétariat, dans son impuissance, a eu aussi recours à des formes de résistance très atomisées et plutôt autodestructrices, si du moins l'on en croit les descriptions du paupérisme de la première moitié du XIXᵉ siècle : l'absinthe, la dissociation familiale, l'immoralité et la criminalité du *lumpen proletariat*, etc. Si ensuite la classe ouvrière ne s'en est pas trop mal tirée, du moins dans un premier temps, c'est qu'elle s'est constituée en une force d'organisation collective.

C.H. – Parce qu'il y avait clairement d'autres classes en face. Aujourd'hui ce qui est complexe c'est qu'on se trouve dans des sociétés qui connaissent des formes extrêmes d'individualisme. Ces individus sont d'une certaine façon livrés à eux-mêmes, et on les amène à l'idée qu'ils sont responsables de leur échec ou de leur absence d'insertion, ce qui conduit à en faire des individus en parcours d'échec, qui peuvent uniquement se retourner vers eux-mêmes. La résignation, l'apathie, l'indifférence, et au-delà la frustration et le ressentiment – dont il importe de rappeler le rôle décisif qu'ils ont joué au cours d'événements politiques majeurs comme le développement du nazisme en Allemagne[1] – sont pour une part à l'origine de types de comportement qui à mon avis ne sont

---

1. Voir Norbert Elias, *The Germans*, Cambridge, Polity Press, 1996, en particulier les chapitres i, « Civilization and informalization », et iv, « The breakdown of civilization ».

pas à penser de façon individuelle – ou du moins pas uniquement –, mais de façon collective, comme l'une des spécificités marquantes des individus qui conduisent à ce type de société.

R.C. – Vous avez tout à fait raison, et je remarque d'ailleurs que vous soulignez vous-même l'importance décisive des expériences collectives. Ces risques d'atomisation sont la face sombre des processus d'individualisation qui traversent aujourd'hui la société. La question reste pourtant ouverte de savoir si ces processus sont irréversibles, ou si l'on peut penser des formes de recollectivisation positives. Personne sans doute aujourd'hui n'en sait rien, mais on peut dire que ces transformations s'inscrivent toujours dans des processus de longue durée, et qu'il faut peut-être donner du temps au temps. Pour poursuivre l'analogie avec le prolétariat, le diagnostic qu'aurait pu porter un observateur de la première moitié du XIXe siècle sur son avenir n'aurait pu être que très pessimiste, à moins de penser qu'il pouvait être porteur d'une transformation révolutionnaire de la société – et c'est d'ailleurs ce qui a donné leur force aux projections portées par le marxisme et les socialismes révolutionnaires. Pourtant le prolétariat n'a pas fait la révolution, en Europe occidentale du moins, mais il n'est pas non plus resté dans l'état de déréliction qui était le sien au XIXe siècle. Il y a eu ces lents processus de consolidation de la condition ouvrière d'abord, de la condition salariale ensuite, cette invention puis cette expansion de la propriété sociale que l'on a évoquées. Cela ne prouve évidemment pas que cette histoire positive se reproduira. Mais on ne peut pas non plus affirmer aujourd'hui que d'autres formes de régulation pour l'avenir seront impossibles à trouver. Dans cette perspective il faudrait poursuivre l'exploration de ces formes nouvelles d'individualités problématiques qui représentent un secteur stratégique des transformations en cours. C'est dans cette direction que l'on pourrait commencer à tirer un bilan de l'impact de ces processus d'individualisation dont tout le monde constate l'expansion, mais dont les effets apparaissent aujourd'hui contrastés.

C.H. – Ces formes problématiques d'individualité au travers de la dépendance, de la vulnérabilité, de la précarité, invitent aussi à s'interroger sur des questions qui ont peut-être été négligées : celles de la recherche du bonheur, du bien-être, du réconfort. Rappelons que les penseurs du xviiie siècle faisaient du bonheur une question politique majeure ; Saint-Just disait ainsi que le bonheur était une idée neuve en Europe. Nous sommes devenus plus pessimistes. Ainsi, au tout début des années 1930, Freud avait discerné un malaise inscrit au plus profond de la civilisation et on a retenu de sa lecture une vision sombre de l'avenir. Cependant on se souvient moins de l'importance, furtivement évoquée, du besoin de réconfort : « C'est cela qu'au fond tous réclament, les plus sauvages révolutionnaires pas moins passionnément que les plus braves et les pieux croyants [1]. »

On comprend alors qu'il faille tenir compte de ce qui est subjectivement éprouvé par les individus, souvent sur le mode du malheur

---

1. Freud, *Le Malaise dans la culture*, Paris, PUF, 1995, p. 89.

comme vous le disiez plus haut, pour tenter d'élucider les processus d'individualisation. L'individualisme négatif touche en effet aux conditions mêmes de la construction de soi. Il peut l'entraver, l'ébranler, la remettre en cause. Pensez-vous que l'on parviendra à dépasser ces formes extrêmes d'individualisation ? Une société vivable est-elle concevable sans formes de protection ?

R.C. – Cette question me paraît centrale aujourd'hui parce que la société n'a jamais été autant que maintenant une « société d'individus » : perte des appartenances collectives, « déstandardisation du travail » avec pour corrélat la prépondérance d'un « modèle biographique » comme le dit Ulrich Beck, généralisation de l'individu flexible dont parle Richard Sennett, « désassociation » de Michael Walzer[1]... La désaffiliation est partout. On pourrait ajouter l'abondante littéra-

---

1. Ulrich Beck, *Risk Society*, trad. angl., Sage Publication, 1992 ; Richard Sennett, *The Corrosion of Character*, New York, W.W. Norton and Company, 1998 ; Michael Walzer, *On Toleration*, Yale University Press, 1997.

ture sur la crise ou la fragilisation de la famille, des Églises, des partis, des syndicats et de la plupart des groupes d'appartenance : ces constats sont en passe de devenir des lieux communs du discours sociologique. Mais ils expriment aussi l'un des défis les plus profonds que nous ayons à affronter. Un trait dominant des sociétés contemporaines tient au fait qu'elles sont de part en part traversées par ces puissantes dynamiques d'individualisation dont la raison de fond est à chercher dans la mutation du capitalisme actuel qui fait de la mobilité l'impératif catégorique de son expansion, à charge pour les individus de s'y prêter quel qu'en soit le coût. De sorte que l'une des questions centrales posées est celle *du statut de l'individu mobile* : quelles sont les nouvelles sécurités et les nouvelles protections qui pourraient donner consistance à l'individu dans une société « réticulaire » et « connectionniste[1] », et rendre celle-ci vivable ? Ou, pour reprendre le vocabulaire que l'on a proposé ici, quels sont les nou-

---

1. Luc Boltanski, Ève Chiapello, *Le Nouvel Esprit du capitalisme*, Paris, Gallimard, 1999.

veaux supports auxquels les individus entraî-
nés dans le maelström du changement pourraient s'accrocher pour habiter aussi en
eux-mêmes et accéder à la propriété de soi ?
Et si, comme on l'a également avancé, la
généralisation de la propriété de soi passe par
une participation élargie à la propriété sociale,
la question devient : comment construire des
formes nouvelles de propriété sociale
capables de maîtriser les processus d'individualisation négative ?

Index des auteurs cités

INDEX DES AUTEURS CITÉS

Table des matières

Impression réalisée sur CAMERON par

BUSSIÈRE CAMEDAN IMPRIMERIES

GROUPE CPI

à Saint-Amand-Montrond (Cher)
en mars 2001

35-10-1113-01/6

ISBN 2-213-60913-6

Dépôt légal : mars 2001.
N° d'Édition : 10743. – N° d'Impression : 011239/4.

Imprimé en France